FOLIO

Philip K. Dick

# Le voyage gelé

*Traduit de l'américain*
*par Emmanuel Jouanne*
*Traductions revues et harmonisées*
*par Hélène Collon*

Denoël

Cet ouvrage a été précédemment publié dans la collection Présence du futur aux Éditions Denoël.

Publié pour la première fois en 1952, Philip K. Dick (1928-1982) s'oriente rapidement, après des débuts assez classiques, vers une science-fiction plus personnelle, où se déploient un questionnement permanent de la réalité et une réflexion radicale sur la folie. Explorateur inlassable de mondes schizophrènes, désorganisés et équivoques, Philip K. Dick clame tout au long de ses œuvres que la réalité n'est qu'une illusion, figée par une perception humaine imparfaite.

L'important investissement personnel qu'il plaça dans ses textes fut à la mesure d'une existence instable, faite de divorces multiples, de tentatives de suicide ou de délires mystiques.

*Souvenirs trouvés*
*dans une facture de vétérinaire*
*pour petits animaux*

*Titre original :*

MEMORIES FOUND IN A BILL
FROM A SMALL ANIMAL VET

paru dans *The Real World* nº 5, février/mars 1976.

La première fois que j'ai rencontré Theodore Sturgeon, l'auteur des *Plus qu'humains*, cet homme de bien me déclara d'emblée : « Quel est donc le genre d'univers qui fait mourir du cancer quelqu'un comme Tony Boucher ? » Je me demandais la même chose depuis la mort de Tony Boucher. C'était aussi le cas de Ted Sturgeon, même s'il ne s'attendait pas que je lui fournisse une réponse. Il voulait simplement me montrer qui il — Ted Sturgeon — était. Je me suis aperçu que je peux faire de même, moi aussi : informer les gens à mon sujet en posant cette question. Cela montre que je me souciais énormément de l'un des hommes les plus chaleureux qui aient jamais vécu. Tony était généreux et, en même temps, lorsqu'il se retrouvait au milieu d'un groupe de gens, la sueur lui perlait sur le front, de peur. Personne n'a jamais écrit cela à propos de lui, mais c'est vrai. Il était terrifié en permanence. Il me l'a dit une fois, et en aussi peu de mots. Il aimait les gens, mais je l'ai rencontré un jour dans le tram qui le conduisait à l'opéra et il avait peur. Il était critique musical, écrivait des articles pour le *New York Times*, dirigeait un magazine et écrivait des romans et des nouvelles. Mais il avait peur de traverser la ville.

Tony aimait l'univers et l'univers l'effrayait, et je crois savoir où il avait la tête. Beaucoup de personnes timides sont ainsi parce qu'elles aiment trop. Elles ont peur que tout échoue. Naturellement, cela eut raison de Tony. Il est mort dans la fleur de l'âge. Et je vous demande : quel bien cela lui a-t-il fait d'avoir peur ? Il avait coutume de transporter ses vieux 78-tours rares jusqu'à la station de radio KPFA, chaque semaine, pour son émission « Les Voix d'or », en les enveloppant dans une serviette pour qu'ils ne se cassent pas. Un jour, je décidai de donner à Tony tous mes disques rares d'opéras et de chant, de les lui donner tout simplement comme un cadeau témoignant de l'amour que je lui portais. Je l'appelai au téléphone. « J'ai Tiana Lemnitz et Gerhard Husch », lui dis-je. Tony répondit timidement : « Ce sont mes idoles. » C'était un catholique romain, le seul que nous connaissions, et c'était donc une déclaration forte. Avant que j'aie pu lui faire parvenir les disques, il mourut. « Je me sens fatigué la moitié de la journée, avait-il dit. Je n'arrive pas à travailler autant que je le faisais. Je crois que je suis malade. » Je lui expliquai qu'il m'arrivait la même chose. C'était il y a environ huit ans. Le docteur lui dit qu'il avait une côte fêlée et le banda. Un jour, je rencontrerai ce médecin dans la rue. Tony recevait de mauvais conseils de quiconque savait parler.

Nous jouions au poker. Tony adorait l'opéra, le poker, la science-fiction et les polars. Il avait un petit atelier d'écriture — c'était après l'époque où il était célèbre et dirigeait *Fantasy and Science Fiction* — et il demandait un dollar par soirée quand on se présentait. Il lisait votre manuscrit en entier. Il vous disait à quel point c'était nul, et vous repartiez écrire quelque chose de bien. Je n'ai jamais compris comment il y arrivait. Des critiques de ce genre sont censées vous écrabouiller. « Peut-être que c'est parce que quand Tony lit ta nouvelle, c'est comme s'il la lisait en latin », disait Ron Goulart, un camarade d'atelier. Tony m'apprit à écrire, et mon premier texte acheté le fut par lui. Je me souviens encore que personne ne comprit mon histoire sauf lui, même après la publication. Elle est toujours disponible, vingt-deux ans plus tard, dans un manuel pédagogique sur la S.-F. de niveau collège édité par Ginn and Company. La nouvelle ne fait que 1 500 mots environ, elle est à peu près aussi courte que ceci. En annexe de l'histoire, Ginn et Company publient une discussion à bâtons rompus que j'eus avec une classe de secondaire à propos de la nouvelle. Tous les gosses comprennent l'histoire. C'est à propos d'un chien et de la façon dont il voit les éboueurs venir voler la précieuse nourriture que la famille emmagasine tous les jours jusqu'à ce que la robuste urne de métal soit pleine et que les Reugs viennent voler la récolte juste quand elle est mûre et parfaite. Le chien essaie d'alerter la famille, mais cela se passe toujours tôt le matin et ses aboiements ne font que les déranger. L'histoire se termine lorsque la famille décide qu'il lui faut se débarrasser du chien parce qu'il aboie, moment auquel l'un des Reugs, ou éboueurs, dit au chien : « Nous allons revenir chercher les gens d'ici peu[1]. » Je n'ai jamais pu comprendre pourquoi personne à l'exception de Tony Boucher n'arrivait à comprendre la nouvelle (je la lui avais envoyée en 1951). Je suppose qu'à cette époque ma façon de considérer les éboueurs

1. Cette nouvelle est disponible sous le titre de « Reug » dans *Les Délires divergents de Philip K. Dick*, anthologie d'Alain Dorémieux, Casterman, 1978. Cette anthologie a été récemment rééditée chez Presses Pocket. *(N.d.T.)*

n'était pas universellement partagée, alors que depuis 1971, date à laquelle j'en discutai avec les lycéens, je suppose qu'elle l'est. « Mais les éboueurs ne mangent pas les gens », me fit remarquer une anthologiste en 1952. J'eus du mal à répondre à cela. *Quelque chose* vient pour emporter et dévorer les gens qui dorment tranquillement. Comme Tony... quelque chose l'a eu. Je crois que le chien qui criait « REUG ! REUG ! » essayait de nous prévenir, Tony et moi. Je compris l'avertissement et j'en réchappai — enfin, on verra ; le temps le dira — mais Tony resta à son poste. Voyez-vous, lorsque l'on a si peur de l'univers (ou des Reugs, si vous voulez), rester à son poste exige un courage à propos duquel les gens concernés ne peuvent pas écrire parce que 1°) ils ne savent pas comment faire et 2°) ils ne le remarquent même pas, à l'exception peut-être de Ted Sturgeon, avec son propre amour et sa totale absence de peur. Il devait savoir combien Tony était effrayé, et avoir aussi peur pour tomber entre les mains des Reugs — c'est une foutue symétrie, vous ne trouvez pas ?

Quoi qu'il en soit, Tony est toujours vivant, je l'ai découvert l'année dernière. Mon chat avait commencé à se comporter de manière bizarre, me surveillant en silence, et je m'aperçus qu'il avait changé. C'était après qu'il était parti et revenu, sauvage et crasseux, chiant de trouille sur le tapis ; nous l'emmenâmes chez le vétérinaire, qui le calma et le soigna. Après cela, Pinky avait ce que j'appelle une qualité spirituelle, sauf qu'il refusait de manger de la viande. Il tremblait chaque fois que nous essayions de lui en faire avaler. Pendant cinq mois, il avait été perdu, vivant dans le caniveau, voyant Dieu sait quoi ; j'aimerais le savoir. En tout cas, après avoir changé — en un clin d'œil, c'est-à-dire pendant qu'il était chez le vétérinaire — il refusa de faire quoi que ce soit de cruel. Pourtant, je savais que Pinky avait peur, parce qu'une fois je faillis refermer la porte du réfrigérateur sur lui et il se fit ricocher en trois bandes contre les murs pour s'enfuir avec une vélocité unique pour un machin rose qui ressemblait à un mouton et qui d'ordinaire se contentait de rester assis et de regarder devant lui. Pinky avait du mal à respirer à cause de son pelage épais et de ce qu'on appelle les boules de poil. Tony souffrait d'un asthme terrible et avait besoin de fraîcheur. Pinky s'asseyait près de la porte pour profiter de l'air froid qui passait dessous, et il luttait pour respirer. Je ne vais pas faire ici un article à suspense : Pinky mourut subitement du cancer; il avait trois ans, ce qui est très jeune pour un chat. C'était totalement inattendu. Le vétérinaire diagnostiqua quelque chose d'autre, que l'on pouvait soigner.

Je n'avais pas réalisé que Pinky était Tony Boucher, que l'univers avait renvoyé par amour, avant de faire ce rêve à propos de Tony le Tigre — le personnage des boîtes de céréales qui vous propose des Flocons Enrobés de Sucre. Dans mon rêve, je me tenais au bord d'une clairière inondée de lumière, et de l'autre côté surgit lentement un grand tigre, réjoui, et je sus que nous étions de nouveau ensemble. Tony le Tigre et moi. Ma joie était sans bornes. Quand je me réveillai, je me demandai qui parmi ceux que je connaissais s'appelait Tony. Je fis d'autres expériences étranges après la mort de Pinky. Je rêvai d'une « Mrs. Donlevy » qui était incroyablement grande — je ne pouvais voir que ses pieds et ses chevilles; elle me servait une assiette de lait sur le seuil de la porte de derrière et il y avait un terrain vague où je pouvais flâner à loisir, pour toujours. C'était le Terrain vague élyséen, auquel croyaient les Grecs, juste à mes dimensions. Et aussi, le jour où Pinky mourut chez le vétérinaire, je me tenais ce soir-là dans la salle de bains quand je sentis ma femme poser sa main sur mon épaule, fermement, pour me consoler. Me retournant, je ne vis personne. Je fis aussi ce rêve : j'avais la partition de l'album « Don Pasquale », et à la fin le chef d'orchestre avait rajouté une note : cinq cordes de boyau de chat, comme un berceau du chat, comme une barre de mesure. C'était un dernier salut de Pinky, qui était Tony Boucher; dans le rêve l'album était un vieux 78-tours, un classique rare, l'un des préférés de Tony.

Tony ou Pinky, je suppose que les noms n'ont pas d'importance, fut un chasseur minable durant toute son existence. Une fois, il attrapa un spermophile et gravit à toute vitesse l'escalier de notre appartement en le tenant dans la gueule. Il le mit dans sa gamelle, là où on lui donnait à manger, parce que c'était conforme à la règle, et bien sûr le spermophile se redressa aussitôt et s'enfuit. Tony était convaincu que les choses avaient leur place, et était quelqu'un pour qui l'ordre était une obsession; son énorme collection de livres et de disques était rangée selon le même principe — chaque chose à sa place, une place pour chaque chose. Il aurait dû tolérer davantage de chaos dans l'univers. Quoi qu'il en soit, il reprit le spermophile et le mangea tout entier, à l'exception des dents.

Tony, ou Pinky, fut mon guide : il m'apprit à écrire, et il resta près de moi quand je fus malade en 1972 et 1973, allongé à côté de moi jour après jour. C'est pour cela que ma femme Tessa l'avait amené, parce que souffrais de pneumonie, que j'avais besoin d'aide et que nous n'avions pas d'argent pour payer le médecin. (Je pense maintenant que j'ai eu de la chance à cet égard; il m'aurait dit que j'avais une côte fêlée.) Quand la douleur était vraiment forte, Pinky s'allongeait en travers de mon corps, ce qui m'intrigua jusqu'à ce que je me rende compte qu'il essayait de déterminer quelle partie de moi était malade. Il savait que ce n'était qu'une partie, vers le milieu de mon corps. Il fit de son mieux et je guéris, mais pas lui. Tel était mon ami.

La plupart des chats sont effrayés par l'arrivée bruyante des éboueurs chaque semaine, mais Pinky les détestait. Sous notre lit, des yeux fixes, concentrés, mais pas de Pinky visible. Rien que les yeux, qui attendaient que ces abrutis s'en aillent.

Quatre jours avant la mort inattendue de Pinky, avant que nous ne sachions qu'il avait un cancer — j'allais dire, avant qu'on ait diagnostiqué chez lui une côte fêlée —, lui, Tessa et moi, comme nous en avions l'habitude, étions allongés sur le grand lit, et je vis une pâle lumière blanche uniforme emplir lentement la pièce. Je crus que l'ange de la mort était venu pour moi et je me mis à prier en latin, *Tremens factus sum ego, et timeo*, et ainsi de suite ; Tessa grinça des dents, mais Pinky resta installé là, les pattes de devant repliées sous lui, impassible. Je savais qu'il n'y avait nul endroit où se cacher, comme sous le lit. La mort peut vous trouver sous le lit. Tous les enfants savent ça. Et ça ne signifie rien de bon.

Il ne me vint jamais à l'esprit que la mort arrivait à n'importe qui sauf moi, ce qui est révélateur de mon attitude. Je nous considérais tous comme des canards peints, sur une mer peinte, et je songeai au poème arabe du XIIIe siècle qui dit : « Une fois il manquera, deux fois il manquera/Le monde entier n'est à ses yeux qu'une plaine uniforme sur laquelle il chasse les fleurs. » Nous étions aussi voyants que — bon, quoi qu'il en soit, je cessai de prier, mais je me rappelle en particulier que je ne cessai de m'écrier : *Mors stupebit et natura,* ce qui, dans mon esprit, signifiait que la mort restait stupéfaite, comme surprise (comme dans : « J'étais stupéfait d'apprendre qu'on avait embarqué ma voiture. » Cela signifie rester là, impuissant. Ce n'est peut-être pas ce que dit Merriam-Webster 3, mais c'est ce que je dis).

À aucun moment Pinky ne remarqua la lumière blanche ; comme à l'accoutumée, il semblait éveillé mais somnolait. Je pense qu'il se fredonnait quelque chose. Plus tard, après m'être endormi, je fis vers le matin un rêve pénible : un coup de feu tiré près de mon oreille, une épouvantable détonation, et, quand je regardai, je vis une femme en train de mourir par terre. J'allai pour l'aider, mais je montai par erreur dans un de ces trolleys électriques, en même temps que trois agents de la Gestapo (je rêve souvent cela). Nous roulions indéfiniment tandis que j'essayais vainement de court-circuiter les câbles d'alimentation du bus ou du tram, ou quoi que cela fût — sans succès. Les agents de la Gestapo restaient confiants, avec cet air suffisant qui est le leur, et ils lisaient le journal et fumaient. Ils savaient qu'ils me tenaient.

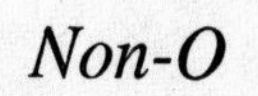
Non-O

*Titre original :*

NULL-O

Tendu, Lemuel se plaqua contre le mur de sa chambre obscure et prêta l'oreille. Un courant d'air agitait les rideaux de dentelle. La lueur jaune des réverbères tombait sur le lit, la commode, les livres, les jouets et les vêtements.

Dans la pièce voisine s'élevaient des murmures.

« Jean, il faut faire quelque chose », fit une voix masculine.

Un hoquet étranglé. « Ralph, s'il te plaît, ne lui fais pas de mal. Contrôle-toi. Je ne te laisserai pas lui faire de mal.

— Mais je ne vais pas lui faire de mal ! » Il y avait de l'anxiété à l'état brut dans la voix contenue de l'homme. « Pourquoi fait-il ces trucs-là ? Pourquoi ne joue-t-il pas au base-ball ou à chat perché, comme les gamins normaux ? Pourquoi faut-il qu'il mette le feu aux magasins et qu'il torture des animaux sans défense ? *Pourquoi ?*

— Il est différent, Ralph. Nous devons essayer de le comprendre.

— On devrait peut-être l'emmener consulter, dit le père. Si ça se trouve, il a je ne sais quel problème hormonal.

— Chez le vieux Doc Grady ? Mais tu disais toi-même qu'il n'avait rien pu trouver de...

— Non. Grady a pris sa retraite quand Lemuel a détruit son appareil à rayons X et tout cassé dans son cabinet. Je visais plus haut que ça. » Une pause tendue. « Jean, je vais l'amener à la Colline.

— Oh ! Ralph ! S'il te plaît...

— Je suis sérieux. » Dans son inflexible détermination, le père émit un feulement d'animal pris au piège. « Peut-être que leurs psychologues sauront quoi faire pour l'aider. Peut-être pas.

— Mais ils ne voudront peut-être pas nous le rendre. Et... oh ! Ralph, il est toute notre vie !

— Bien sûr, marmonna Ralph d'une voix rauque. Je le sais parfaitement. Mais ma décision est prise depuis le jour où il a balafré l'instituteur avec un couteau avant de sauter par la fenêtre. Lemuel ira à la Colline... »

Il faisait beau et chaud. Entre les arbres qui ondulaient au gré du vent, on voyait briller de tous ses feux l'immense hôpital blanc tout de béton, d'acier et de plastique. Triturant son chapeau et jetant autour de lui des regards hésitants, Ralph Jorgenson semblait nettement intimidé par l'immensité de l'endroit.

Lemuel écoutait attentivement. En tendant ses grandes oreilles mobiles, il percevait de nombreuses voix, comme une mer changeante déferlant autour de lui. En provenance de toutes les pièces, de tous les bureaux, elles l'intéressaient vivement.

Le Dr. James North vint vers eux la main tendue. Grand, bel homme, la trentaine ; cheveux bruns et lunettes à monture d'écaille noire. Il avançait d'un pas assuré, et lorsqu'il lui serra la main, Lemuel constata que sa poigne était brève mais ferme.

« Par ici », tonna-t-il.

Ralph se dirigea vers le bureau, mais le médecin fit non de la tête. « Pas vous. Le petit. Lemuel et moi devons nous entretenir en tête à tête. »

Tout excité, Lemuel le suivit jusque dans son bureau. North boucla aussitôt la porte à l'aide du triple verrou magnétique. « Tu peux m'appeler James, dit-il avec un chaleureux sourire. Et moi je t'appellerai Lem, d'accord ?

— D'accord », fit Lemuel tout en restant sur ses gardes.

Il ne percevait aucune hostilité chez cet homme, mais il avait appris à se montrer constamment prudent, même avec ce médecin amical et avenant aux évidentes capacités intellectuelles.

North alluma une cigarette et dévisagea le garçon. « Quand tu as ligoté et disséqué les vieux clochards, fit-il d'un ton pensif, c'était par curiosité scientifique, n'est-ce pas ? Tu voulais *savoir* — disposer de faits, et non seulement d'opinions. Apprendre par toi-même comment étaient faits les humains. »

L'exaltation de Lemuel s'amplifia. « Mais personne n'a compris.

— Non. » North secoua la tête. « C'est normal. Et tu sais pourquoi ?

— Je crois, oui. »

North se mit à faire les cent pas. « Je vais te faire passer quelques tests. Histoire de dresser un bilan. Ça ne t'embête pas, j'espère ? Comme ça on en saura davantage à ton sujet, toi et moi. Je me suis intéressé à ton cas, Lem. J'ai lu les rapports de police, les articles de journaux. » Brusquement, il ouvrit le tiroir de son bureau et en sortit successivement un Minnesota Multiphase, des planches de Rorschach, un Gestalt-test de

Bender, un paquet de cartes-PES inspirées des travaux de Rhine, une planchette de oui-ja, deux dés, une ardoise magique, une figurine en cire accompagnée de rognures d'ongles et de quelques cheveux, et enfin un petit morceau de plomb à transformer en or.

« Qu'est-ce que vous voulez que je fasse ? s'enquit Lemuel.

— Je vais te poser des questions et te donner des objets avec lesquels jouer. J'observerai tes réactions et je noterai deux ou trois petites choses. Qu'est-ce que tu en dis ? »

Lemuel hésita. Il avait tellement besoin d'un ami ! Mais il avait peur. « Euh... »

North lui posa une main sur l'épaule. « Tu peux me faire confiance. Je ne suis pas comme les gosses qui t'ont rossé ce matin-là. »

Lemuel leva sur lui des yeux pleins de reconnaissance. « Vous êtes au courant ? J'avais découvert que les règles du jeu auquel ils jouaient étaient purement arbitraires. Par conséquent, je me suis naturellement adapté à la réalité fondamentale de la situation ; alors quand ça a été mon tour de battre, j'ai frappé le lanceur et le *catcher* à la tête. Plus tard, j'ai compris qu'il en allait exactement de même pour la morale et que... » Il s'interrompit. « Je ne devrais peut-être pas... »

North s'assit à son bureau et entreprit de battre les cartes-PES de Rhine. « Ne t'en fais pas, Lem, fit-il avec douceur. Tout va bien se passer. Je comprends. »

Après les tests, tous deux restèrent un instant silencieux. Il était six heures ; le soleil se couchait.

Enfin, le médecin prit la parole. « Étonnant. Moi-même j'ai peine à y croire. Tu es pure logique. Tu as complètement évacué les émotions, les facteurs d'origine thalamique. Ta personnalité est absolument dépourvue d'influences morales ou culturelles. Tu es un paranoïaque parfait, sans la moindre faculté d'empathie. Totalement incapable de chagrin, de pitié ou de compassion ; tu ne connais *aucun* des sentiments humains normaux.

— C'est exact », opina Lemuel.

Sidéré, North se laissa aller en arrière sur son siège. « C'est difficile à appréhender, même pour moi. Cela me dépasse. Tu te fondes sur une superlogique radicalement dégagée de tout sens des valeurs. Et tu conçois le monde entier comme ligué contre toi.

— En effet.

— Bien sûr. Après avoir analysé la structure de l'activité humaine, tu as vu qu'on te tomberait dessus sitôt qu'on aurait découvert ta personnalité, et qu'on essaierait de te réduire à merci.

— Parce que je suis différent. »

North était confondu. « On a toujours classé la paranoïa parmi les maladies mentales. Mais c'est une erreur ! Elle n'entraîne pas de perte de contact avec la réalité — bien au contraire, le paranoïaque est en *prise directe* avec le réel. Empiriste ultime libéré des inhibitions éthico-culturelles, le paranoïaque voit les choses telles qu'elles sont *vraiment* ; il est en fait le *seul* homme sain d'esprit.

— J'ai lu *Mein Kampf,* déclara Lemuel. Ce qui m'a fait découvrir que je n'étais pas le seul. » Il récita mentalement sa prière d'action de grâces : *Je ne suis pas le seul. Il y en a d'autres.*

North surprit son expression. « L'homme de demain, dit-il. Je n'en suis malheureusement pas un moi-même, mais je peux tenter de comprendre. Je ne suis qu'un être humain, limité par mes pulsions émotionnelles et culturelles d'origine thalamique. À défaut d'être des vôtres, je peux compter parmi les sympathisants... » Il releva les yeux, illuminé par l'enthousiasme. « Et apporter ma contribution ! »

Pour Lemuel, les quelques jours qui suivirent furent grisants. North s'arrangea pour obtenir sa garde et il s'installa chez le médecin, dans les beaux quartiers. Là, il ne subissait plus la pression de sa famille ; il pouvait faire ce qui lui plaisait. North entreprit tout de suite de l'aider à localiser d'autres mutants paranoïaques.

Un soir après dîner, North demanda : « Lemuel, pourrais-tu m'exposer ta théorie du Non-O ? J'ai du mal à saisir le principe d'orientation non objectale. »

Du geste, Lemuel désigna l'appartement. « Tous ces objets apparents ont un nom. Livre, fauteuil, divan, tapis, lampe, rideaux, fenêtre, porte, mur, et ainsi de suite. Mais cette partition en objets est purement artificielle, fondée sur un système de pensée obsolète. En réalité il n'y a pas d'objets. En fait, l'univers forme un tout. On nous a appris à penser en termes d'objets : cette chose-*ci*, cette chose-*là*, etc. Mais lorsque le Non-O sera réalisé, cette segmentation purement verbale disparaîtra. Il y a longtemps qu'elle ne sert plus à rien.

— Peux-tu me fournir un exemple, une démonstration ? »

Lemuel hésita. « C'est difficile à faire tout seul. Plus tard, quand nous en aurons contacté d'autres, peut-être... Mais je peux essayer grossièrement, sur une échelle réduite. »

Sous le regard avide de North, Lemuel se mit à foncer en tous sens, ramassant puis entassant tout ce qui lui tombait sous la main. Et quand les livres, les gravures, les tapis, les rideaux, les meubles et les bibelots furent tous rassemblés, il les mit méthodiquement en pièces jusqu'à ce que l'ensemble ne compose plus qu'une masse indifférenciée.

« Vous voyez que maintenant, le morcellement en objets arbitraires n'a plus de réalité, fit-il, blême et épuisé par ce violent effort. Eh bien, l'unification dans l'homogénéité fondamentale peut être appliquée à l'univers dans son entier. L'univers est une *gestalt*, une substance unifiée sans division entre vivant et non-vivant, être et non-être. Un vaste maelström constitué d'énergie, et non de particules discrètes ! Sous-tendant l'apparence purement artificielle des objets matériels, il y a le monde de la réalité ultime : une immensité indifférenciée faite d'énergie pure. N'oubliez jamais cela : l'objet n'est pas la réalité. C'est la Première Loi de la pensée Non-O ! »

Grave, North était visiblement très impressionné. Il donna un coup de pied dans un bout de fauteuil cassé, élément de l'informe amas de bois, de tissu, de papier et de verre brisé. « Et d'après toi, ce rétablissement du réel peut-il être accompli ?

— Je l'ignore, répondit simplement Lemuel. Il y aura des résistances, évidemment. Les humains vont se dresser contre nous, incapables qu'ils sont de surmonter leur simiesque obsession des *choses* — des objets aux couleurs vives qu'on peut toucher et posséder. À nous de bien nous organiser. »

North déplia une feuille de papier tirée de sa poche. « J'ai une piste, annonça-t-il calmement. Le nom d'un homme qui pourrait être des vôtres. Nous irons le voir demain — ensuite, nous aviserons. »

Le Pr Jacob Weller les accueillit avec une brusquerie toute empreinte d'efficacité à l'entrée de son laboratoire bien gardé, surplombant Palo Alto. Des militaires montaient la garde par rangées entières devant l'œuvre vitale qu'il poursuivait ici, dans cet énorme complexe de labos et de bureaux où des hommes et des femmes en blouse blanche travaillaient jour et nuit.

« Mes travaux, expliqua-t-il tout en ordonnant du geste qu'on referme les portails de haute sécurité derrière eux, ont été à l'origine de la bombe C, l'application au cobalt du principe de la bombe H. Vous constaterez que beaucoup de physiciens nucléaires de haut niveau sont des Non-O. »

Lemuel retint son souffle. « Mais alors...

— Bien sûr. » Weller ne mâcha pas ses mots. « Nous y travaillons depuis des années. Avec les missiles à Peenemunde, la bombe A à Los Alamos, la bombe à hydrogène, et maintenant ceci, la bombe C. Il y a évidemment de nombreux scientifiques qui ne sont pas Non-O, seulement des humains ordinaires sous influence thalamique. Einstein, par exemple. Mais nous sommes en bonne voie ; si nous ne rencontrons pas trop d'opposition, nous pourrons passer à l'action d'ici très peu de temps. »

La porte du fond coulissa et quelques individus des deux sexes, en blouse blanche, entrèrent solennellement dans le laboratoire, les uns derrière les autres. Le cœur de Lemuel fit un bond. Des Non-O adultes, au sommet de leurs possibilités ! Il y avait donc des hommes aussi bien que des femmes, *et qui travaillaient depuis des années* ! Il les reconnut sans mal à leurs oreilles étirées et mobiles — elles permettaient aux mutants Non-O de capter les infimes vibrations de l'air, et cela à de grandes distances, et donc de communiquer entre eux où qu'ils soient dans le monde.

« Exposez notre programme », dit Weller au petit

blond qui se tenait près de lui, calme et parfaitement maître de lui, l'air bien conscient de la gravité du moment.

« La bombe C est presque prête, fit-il tranquillement, avec un léger accent allemand. Mais elle ne représente pas l'aboutissement du projet. Il y a aussi la bombe T, but de cette phase initiale. Nous n'avons jamais rendu publique l'existence de la bombe T. Si les humains l'apprenaient, nous aurions à surmonter de sérieux obstacles de nature affective.

— Qu'est-ce que la bombe T ? demanda Lemuel, bouillant d'excitation.

— L'expression, reprit le petit blond, recouvre le processus au terme duquel la Terre elle-même devient une pile amenée à la masse critique puis à l'explosion. »

Lemuel était émerveillé. « Je ne me doutais pas que vous aviez mené le projet aussi loin ! »

Le blond eut un léger sourire. « Oui, nous avons fait beaucoup de chemin depuis nos débuts. Sous la direction du Pr Rust, j'ai pu établir les concepts idéologiques fondateurs. À terme, nous effectuerons l'unification de l'univers entier en masse homogène. Pour l'instant, nous nous préoccupons d'abord de la Terre. Mais une fois que nous aurons réussi ici, il n'y a aucune raison pour que nous ne poursuivions pas indéfiniment notre œuvre.

— Le transfert vers d'autres planètes a été prévu par le Pr Frisch ici présent, expliqua Weller.

— Une variante des missiles téléguidés que nous avons conçus à Peenemunde, poursuivit le blond. Nous avons construit un vaisseau qui nous conduira sur Vénus. De là, nous entamerons la deuxième phase de nos travaux. Une bombe V sera mise au point, qui rendra Vénus à son état initial d'énergie homogène. Et après... » Nouveau petit sourire. « Après, ce sera la bombe S — comme Sol. Qui, si nous réussissons, unifiera tout le système solaire en une vaste *gestalt*. »

Quand vint le 25 juin 1969, les Non-O s'étaient déjà assuré le contrôle de tous les grands gouvernements. Le processus entamé au milieu des années trente était quasiment achevé. Les États-Unis et l'Union soviétique étaient entre leurs mains. Les Non-O occupaient tous les postes de décision, ce qui leur donnait la possibilité d'accélérer leur propre programme. L'heure était venue. Le secret n'était plus nécessaire.

Ce fut à bord d'une fusée en orbite que Lemuel et North assistèrent à l'explosion des premières bombes H. Aux termes d'un plan minutieusement réglé, les deux grandes nations déclenchèrent l'attaque simultanément. En une heure, les objectifs prioritaires étaient atteints : la majeure partie de l'Amérique du Nord et de l'Europe de l'Est était balayée. D'immenses nuages de particules radioactives dérivaient en tourbillonnant au-dessus des fosses creusées dans le sol par le métal en fusion, lesquelles bouillonnaient et crépitaient à perte de vue. En Afrique, en Asie, sur d'innombrables îles et dans les zones non stratégiques se terraient les survivants épouvantés.

« Une réussite totale », fit la voix de Weller aux oreilles de Lemuel. Le professeur se trouvait quelque part sous la surface, dans le quartier général soigneusement protégé où le vaisseau pour Vénus en était à ses ultimes étapes d'assemblage.

Lemuel acquiesça. « Superbe. Nous sommes parvenus à unifier au moins un cinquième de la surface terrestre de la planète !

— Mais le meilleur est encore à venir. Au stade suivant, on largue les bombes C. Cela empêchera les humains d'interférer dans notre œuvre finale, la mise en place des bombes T. Les terminaux restent à ériger. Or, cela ne peut être fait tant qu'il demeure des humains susceptibles de nous gêner. »

Moins d'une semaine plus tard, la première bombe C fut mise à feu. D'autres suivirent, lancées depuis des rampes jalousement dissimulées en Russie et en Amérique.

Le 5 août 1969, la population humaine de la Terre avait été réduite à trois mille âmes. Dans leurs installations souterraines, les Non-O rayonnaient de satisfaction. L'unification progressait exactement comme prévu. Le rêve devenait réalité.

« Maintenant, fit le Pr Weller, nous pouvons enfin commencer la construction des terminaux à bombes T. »

On mit en chantier le premier terminal à Arequipa, au Pérou, et le second de l'autre côté du globe, à Bandung, sur l'île de Java. En l'espace d'un mois, deux immenses tours s'élevaient dans le ciel envahi de poussière radioactive. Vêtues de pesantes combinaisons intégrales, les deux colonies de Non-O travaillaient jour et nuit pour parachever le programme.

Le Pr Weller emmena Lemuel sur le site péruvien. Pendant tout le trajet en avion de San Francisco à Lima, ils ne virent que des volutes de cendre et des carcasses métalliques en feu. Aucun signe de vie ni d'entités distinctes ; tout avait été fondu en un unique amas de scories qui se soulevait par endroits. Les océans eux-mêmes n'étaient que vapeur et eaux bouillonnantes. Il n'existait plus aucun contraste entre terre et mer. La surface de la planète jadis bigarrée, variée, n'était plus qu'une étendue gris terne et blanc, indifférenciée.

« Là, fit Weller. Tu vois ? »

Et en effet, Lemuel voyait. Son souffle se bloqua dans sa gorge devant tant de beauté. Au beau milieu de cette mer mobile de scories liquéfiées, les Non-O avaient érigé un immense dôme protecteur en plastique transparent. À l'intérieur de la bulle se profilait le terminal proprement dit, un enchevêtrement complexe de poutrelles et de câbles étincelants qui réduisit aussi bien Weller que Lemuel au silence.

« Tu comprends », reprit le professeur tandis qu'entre ses mains l'appareil perdait de l'altitude puis s'insérait dans un des sas de l'écran protecteur, « nous n'avons unifié que la surface de la Terre, ainsi, peut-être, qu'une couche d'un kilomètre et demi de roche en dessous. L'écrasante majorité de la masse de la planète reste intacte. Mais la bombe T résoudra ce problème. Le noyau en fusion perpétuelle va entrer en éruption ; le globe entier va devenir un nouveau soleil. Et quand la bombe S explosera, c'est le système solaire tout entier qui se muera en masse unifiée de gaz ardents. »

Lemuel opina. « Logique. Et ensuite...

— La bombe G. Car c'est la galaxie elle-même qui vient après. L'étape finale du plan... D'une telle envergure que c'est à peine si nous osons y songer. Oui, la bombe G... Et pour couronner le tout... » Weller sourit, les yeux brillants. « La bombe U. »

À l'atterrissage ils furent accueillis par un Pr Frisch dans tous ses états. « Professeur Weller ! haleta-t-il. Il y a quelque chose qui n'a pas marché !

— De quoi s'agit-il ? »

La détresse se lisait sur le visage de Frisch. Mais

bientôt, grâce à un violent effort Non-O, il parvint à reprendre le contrôle de ses facultés et à refouler les impulsions thalamiques. « Un certain nombre d'êtres humains ont survécu ! »

Weller n'en croyait pas ses oreilles. « Comment cela ? Par quel miracle...

— J'ai capté leurs voix en faisant pivoter mes oreilles pour savourer le déferlement rugissant de la lave à l'extérieur de la bulle. Des voix d'humains ordinaires.

— Mais où ?

— Sous la surface. Certains industriels nantis avaient secrètement transféré leurs usines sous terre, transgressant ainsi les consignes strictes de leurs États.

— Oui, nous avions pris des mesures rigoureuses pour éviter cela.

— C'est par pure cupidité thalamique que ces industriels ont agi. Ils ont transféré sous terre toute une population ouvrière en état d'esclavage une fois la guerre déclarée. Au moins dix mille humains ont été épargnés de cette manière. Et puis il y a autre chose...

— Quoi donc ?

— Ils ont improvisé d'énormes forets qui leur permettent de se diriger vers nous à toute allure. Nous allons êtes obligés de nous battre. J'ai alerté le vaisseau vénusien. Il va être immédiatement acheminé vers la surface. »

Lemuel et le Pr Weller échangèrent un regard horrifié. Il n'y avait en tout qu'un millier de Non-O ; ils seraient écrasés sous le nombre, à raison de dix contre un.

« C'est une catastrophe, fit Weller d'une voix pâteuse. Juste au moment où tout semblait au point. Combien de temps pour que les tours soient prêtes ?

— Encore six jours avant que la Terre puisse être amenée à la masse critique, marmonna Frisch. Et les forets sont pratiquement arrivés. Faites pivoter vos oreilles et vous les entendrez. »

Lemuel et Weller s'exécutèrent. Aussitôt leur parvint un babillage confus ainsi qu'une cacophonie métallique émanant des nombreux forets qui convergeaient vers les bulles-terminaux.

« Des humains parfaitement ordinaires, en effet ! hoqueta Lemuel. Ces bruits le confirment !

— Nous sommes pris au piège ! » Weller empoigna un éclateur et les autres l'imitèrent. Tous les Non-O prirent bientôt les armes. On oublia les travaux. Alors le nez d'un foret perça la paroi dans un fracas assourdissant et se braqua droit sur eux. Les Non-O affolés firent feu dans le plus grand désordre, puis se replièrent en ordre dispersé vers la tour de lancement.

Un second foret apparut, puis un troisième. Les rayons énergétiques s'entrecroisaient : les Non-O tiraient toujours, mais les humains ripostaient. Des humains aussi communs que possible : il y avait là des employés de bureau, des conducteurs d'autobus, des ouvriers à la journée, des dactylos, des hommes d'entretien, des tailleurs, des boulangers, des tourneurs, des agents d'expédition, des joueurs de base-ball, des présentateurs de radio, des mécaniciens auto, des policiers, des démarcheurs en cravate, des marchands de crème glacée, des représentants au porte à porte, des huissiers, des réceptionnistes, des soudeurs, des menuisiers, des ouvriers du bâtiment, des agriculteurs, des politiciens, des commerçants... des hommes et des femmes dont l'existence même terrifiait les Non-O jusqu'à la moelle.

Des gens ordinaires, dotés d'une vie affective, et qui récusaient le Grand Œuvre, les bombes, les armes bactériologiques et les missiles téléguidés ; et ils remontaient à la surface. Enfin ils se dressaient pour mettre un point final à la superlogique, la rationalité sans la responsabilité.

« Nous n'avons pas l'ombre d'une chance, haleta Weller. Laissons tomber les tours. Amenons le vaisseau en surface. »

Un représentant de commerce et deux plombiers étaient en train de mettre le feu au terminal. Un groupe d'hommes en salopette et chemise de grosse toile arrachaient le câblage. D'autres, tout aussi ordinaires, braquaient leurs pistolets thermiques sur les tableaux de commandes complexes. Les flammes jaillirent. La tour oscilla d'inquiétante manière.

Le vaisseau vénusien apparut, tracté jusqu'à la surface par un système de plates-formes très élaboré. Aussitôt, les Non-O s'y engouffrèrent par dizaines mais sans renoncer à leur proverbiale efficacité, c'est-à-dire deux par deux et en se maîtrisant parfaitement, malgré les humains comme pris de folie qui décimaient leurs rangs.

« Des animaux, fit tristement Weller. Un troupeau de bêtes stupides, dominées par leurs émotions et incapables de concevoir logiquement les choses. »

Un rayon thermique l'acheva sur ces mots et celui qui venait derrière lui dans la file fit un pas en avant pour prendre sa place. Le dernier Non-O embarqué, les grandes écoutilles se refermèrent. Dans un déchaînement de réacteurs, le vaisseau fusa en un clin d'œil à travers le dôme et s'éleva dans le ciel.

Lemuel gisait là où il était tombé quand un rayon thermique tiré par un électricien en pleine démence l'avait touché à la jambe gauche. Triste, il vit le vaisseau marquer comme une légère hésitation avant de percer la bulle et s'estomper progressivement dans le ciel flamboyant. Tout autour de lui des humains réparaient le dôme protecteur endommagé en échangeant des ordres sonores et des cris d'excitation. Leur charivari heurtait ses oreilles sensibles ; faiblement, il leva les mains pour les couvrir.

Le vaisseau était parti. On l'avait abandonné. Mais le plan se poursuivrait sans lui.

Une voix lointaine lui parvint. C'était le Pr Frisch qui, à bord du vaisseau vénusien, lui criait quelque chose, les mains en porte-voix. Sa voix était à peine perceptible, perdue dans l'immensité indifférenciée de l'espace, mais Lemuel parvint à la percevoir au milieu du brouhaha ambiant.

« Au revoir... Nous nous souviendrons de toi...

— Travaillez dur ! cria le garçon. N'abandonnez pas tant que le plan est inachevé !

— Nous travaillerons... » La voix s'affaiblit encore. « Nous continuerons... » Elle s'éteignit, puis revint l'espace d'un bref instant. « Nous réussirons... » Puis il n'y eut plus que le silence.

Un sourire paisible se dessina sur le visage de Lemuel, un sourire de bonheur et de contentement devant le travail bien fait ; puis il s'allongea sur le dos et attendit que la meute des animaux humains irrationnels vienne l'achever.

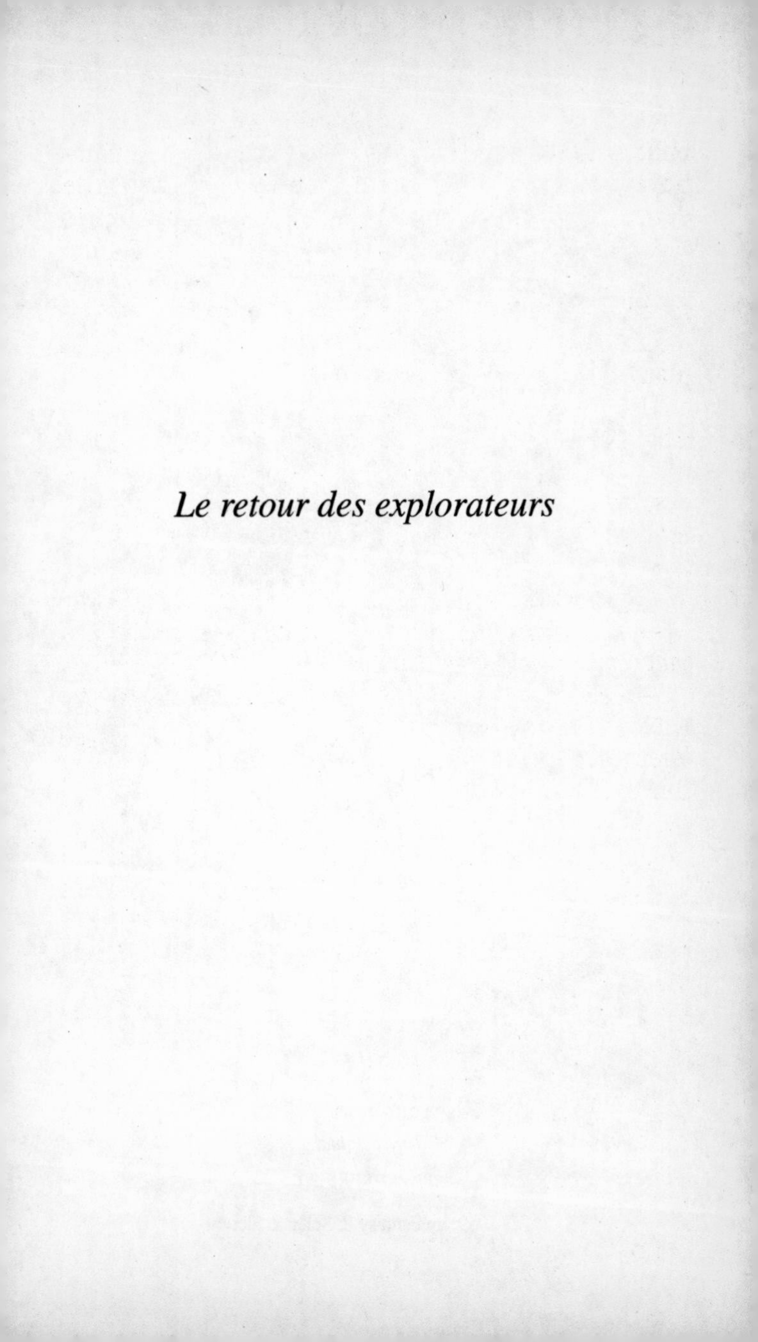

# *Le retour des explorateurs*

*Titre original :*
EXPLORERS WE

« Nom d'un chien, s'étrangla Parkhurst, rouge d'excitation. Venez ici, les gars. Regardez ! »

Ils se pressèrent autour de l'écran.

« La voilà », dit Barton. Son cœur battait bizarrement. « Elle a vraiment belle allure.

— Et comment, qu'elle a belle allure », renchérit Leon. Il en tremblait. « Dites donc... j'aperçois New York.

— Tu parles !

— Si ! La tache grise. Près de l'eau.

— C'est même pas les États-Unis. On regarde à l'envers. C'est le Siam. »

Le vaisseau fendait l'espace dans le hurlement des pare-météorites. Au-dessous, le globe bleu-vert grossissait à vue d'œil. Tout autour dérivaient des nuages qui masquaient continents et océans.

« Je ne pensais pas la revoir un jour, dit Merriweather. Je croyais dur comme fer qu'on resterait coincés là-haut. » Il grimaça. « Mars... Maudit désert rouge, avec son soleil, ses mouches et ses ruines !

— Barton n'a pas son pareil pour réparer les propulseurs, fit le capitaine Stone. C'est lui qu'il faut remercier.

— Vous savez ce que je vais faire, aussitôt arrivé ? brailla Parkhurst.

— Quoi ?

— Aller à Coney Island.

— Pourquoi ça ?

— Les gens. Je veux revoir des gens. Des tas de gens. Abrutis, suants, bruyants. La crème glacée, la flotte, l'océan. Les canettes de bière, les cartons de lait, les nappes en papier...

— Et les filles, ajouta Vecchi, les yeux brillants. C'est long, six mois. J'irai avec toi. On s'assoira sur la plage pour regarder les filles.

— Je me demande quelle est la mode des maillots de bain en ce moment, dit Barton.

— Peut-être qu'elles n'en portent pas du tout ! s'écria Parkhurst.

— Hé ! hurla Merriweather. Je vais revoir ma femme. » Soudain tout étourdi, il reprit tout bas : « Ma femme.

— Je suis marié, moi aussi. » Stone sourit de toutes ses dents. « Mais depuis longtemps. » Puis il pensa à Pat et Jean. Une douleur sourde lui étreignit la gorge. « Elles ont dû grandir.

— “Elles” ?

— Mes gamines », répondit Stone d'une voix enrouée.

Ils s'entre-regardèrent — six hommes, déguenillés, barbus, les yeux brillants, fiévreux.

« Encore combien de temps ? souffla Vecchi.

— Une heure, dit Stone. On sera en bas dans une heure. »

Ils atterrirent avec une violence qui les précipita face contre terre. Les réacteurs de freinage hurlèrent, le vaisseau rebondit, se cabra, laboura le sol rocheux puis s'immobilisa, le nez enfoui dans le flanc d'une colline.

Silence.

Parkhurst se releva tant bien que mal et se cramponna à la rampe de sécurité. Il avait du sang sur la figure et une arcade sourcilière fendue.

« On y est », dit-il.

Barton remua, puis laissa échapper un gémissement et se hissa péniblement sur les genoux. Parkhurst l'assista. « Merci. Est-ce qu'on... ?

— Oui, on a atterri. On est de retour. »

Les réacteurs étaient coupés. Le rugissement avait cessé... on n'entendait plus que de petits bruits d'écoulement : les fluides innervant les parois se répandaient sur le sol.

Le vaisseau était dans un état désastreux. La coque s'était rompue en trois endroits. Elle saillait à l'intérieur, tordue et éventrée. Un peu partout gisaient des papiers et des instruments en miettes.

Vecchi et Stone se relevèrent lentement. « Tout va bien ? marmonna Stone en se palpant le bras.

— Donnez-moi un coup de main, dit Leon. Bon sang, j'ai une cheville foulée ou je ne sais quoi. »

Ils l'aidèrent à se redresser. Merriweather était inconscient. Ils le ranimèrent et le remirent sur pied.

« On a atterri, répéta Parkhurst, comme s'il n'arrivait pas à y croire. C'est la Terre. On est de retour... Vivants !

— J'espère que les spécimens n'ont pas trop souffert, dit Leon.

— Au diable les spécimens ! » s'écria Vecchi, surexcité. Il manœuvrait frénétiquement les volants commandant l'ouverture de la porte. « Sortons nous dégourdir les jambes.

— Où sommes-nous ? demanda Barton au capitaine Stone.

— Au sud de San Francisco. Sur la péninsule.

— San Francisco ! Hé... on va pouvoir prendre les funiculaires ! » Parkhurst aida Vecchi à déverrouiller la porte. « Frisco... J'y suis passé une fois. Il y a un grand parc. Le Golden Gate Park. On pourra aller y faire les fous. »

La porte s'ouvrit en grand. La conversation s'interrompit brusquement. Les hommes regardèrent au-dehors, clignant des yeux dans la blancheur incandescente du soleil.

Une verte prairie s'étendait sous leurs yeux. Dans le lointain, des collines se découpaient avec netteté dans l'air cristallin. Sur une autoroute en contrebas roulaient quelques voitures — points minuscules où se reflétait le soleil. Il y avait aussi des poteaux téléphoniques.

« Qu'est-ce que c'est que ce bruit ? demanda Stone en tendant l'oreille.

— Un train. »

Il filait au loin, empanaché de fumée noire. Une légère brise faisait ondoyer l'herbe de la prairie. À droite, on apercevait une ville. Des maisons, des arbres. Le fronton d'un cinéma. Une station-service Standard. Des boutiques. Un motel.

« Vous croyez que quelqu'un nous a vus ? demanda Leon.

— Probable.

— Entendus, ça c'est sûr, dit Parkhurst. On a fait un de ces boucans en se posant... Le Bon Dieu en pleine indigestion ! »

Vecchi posa le pied dans l'herbe. Il vacilla furieusement sur ses jambes, bras écartés. « J'tiens pas debout ! »

Stone rit. « Tu t'y habitueras. On est restés trop longtemps dans l'espace. Allez, hop ! » Il sauta à terre. « En route.

— Direction : la ville, dit Parkhurst en lui emboîtant le pas. Peut-être aura-t-on droit à un repas gratuit... à du champagne, bon sang ! » Son torse se bombait sous son uniforme en loques. « Le retour des héros. Les clés de la ville. Défilé, fanfare militaire, chars remplis de nanas...

— Des nanas ! grogna Leon. T'es obsédé.

— Parfaitement. » Parkhurst avançait à grandes enjambées, les autres traînant les pieds derrière lui. « Grouillez-vous !

— Regarde, dit Stone à Leon. Il y a quelqu'un là-bas. Qui nous regarde.

— Des gosses, fit Barton. Une bande de gosses. » Il rit, tout électrisé. « Allons leur dire bonjour. »

Ils se dirigèrent vers les gamins à travers l'herbe humide recouvrant la terre grasse.

« Ça doit être le printemps, dit Leon. L'air sent le printemps. » Il respira à fond. « Et l'herbe. »

Stone se livra à un rapide calcul. « On est le 9 avril. »

Ils se hâtèrent. Les enfants les observaient, silencieux et immobiles.

« Hé ! cria Parkhurst. On est de retour !

— C'est quoi, cette ville ? » brailla Barton.

Les enfants les regardaient, les yeux écarquillés.

« Qu'est-ce qui cloche ? marmonna Leon.

— Nos barbes. La dégaine qu'on se paye. » Stone mit ses mains en porte-voix. « N'ayez pas peur ! Nous revenons de Mars. La mission spatiale, il y a deux ans... vous vous souvenez ? Un an en octobre dernier. »

Livides, les enfants ouvraient toujours de grands yeux. Soudain, ils firent demi-tour et s'enfuirent à toutes jambes en direction de la ville.

Les six hommes les regardèrent partir.

« Bon sang, marmonna Parkhurst, stupéfait. Qu'est-ce qui se passe ?

— C'est nos barbes », répéta Stone, une note d'inquiétude dans la voix.

« Il y a quelque chose qui ne va pas », bredouilla Barton. Il se mit à trembler. « Mais alors pas du tout.

— Laisse tomber ! trancha Leon. C'est nos barbes, je te dis. » Il arracha brutalement un lambeau de sa chemise. « On est sales à faire peur. De vrais clodos. Allez, venez. » Il prit à son tour la direction de la ville. « Allons-y. Il y a probablement une voiture officielle en chemin. On va la rencontrer. »

Stone et Barton s'entre-regardèrent. Ils suivirent lentement Leon. Les autres leur emboîtèrent le pas.

Silencieux, mal à l'aise, les six barbus poursuivirent leur route à travers champs.

Un garçon à bicyclette s'enfuit à leur approche. Quelques cheminots, qui réparaient la voie ferrée, jetèrent leurs pelles et détalèrent en criant.

Médusés, les six hommes les regardèrent faire.

« Mais qu'est-ce qu'il y a donc ? » fit Parkhurst entre ses dents.

Ils traversèrent la voie. De l'autre côté s'étendait la ville. Ils pénétrèrent dans un vaste bosquet d'eucalyptus.

« Burlingame », fit Leon, déchiffrant un panneau. Ils aperçurent une rue. Hôtels, cafés, voitures en stationnement, pompes à essence, prisunic... Une petite ville de banlieue. Des chalands sur les trottoirs. Des voitures roulant à petite vitesse.

Ils émergèrent des arbres. De l'autre côté de la rue, un pompiste leva les yeux...

Et se figea.

Au bout d'un moment, il lâcha le tuyau qu'il tenait et s'enfuit dans la rue en poussant des cris d'alarme.

Les voitures s'arrêtèrent. Les conducteurs prirent leurs jambes à leur cou. Des hommes et des femmes jaillirent des magasins, se dispersant en toute hâte. Ils refluaient en masse, battant frénétiquement en retraite.

En un instant, la rue fut déserte.

« Bonté divine ! » s'exclama Stone, interdit. Il entreprit de traverser la rue. Il n'y avait plus personne en vue.

Les six hommes descendirent la grand-rue, hébétés et silencieux. Rien ne bougeait. Tout le monde s'était enfui. Une sirène gémit, passant alternativement du grave à l'aigu. Dans une rue latérale, une voiture fit promptement marche arrière.

Dans l'encadrement d'une fenêtre au premier étage, Barton aperçut un visage blême, effrayé. Puis on baissa le store d'un coup sec.

« Je n'y comprends rien, marmonna Vecchi.

— Seraient-ils devenus dingues ? » demanda Merriweather.

Stone ne répondit pas. Il avait l'esprit vide. Éteint. Il se sentait las. Il s'assit au bord du trottoir pour se reposer et reprendre son souffle. Les autres restèrent debout autour de lui.

« Ma cheville... », fit Leon. Il s'appuya contre un panneau de stop, les lèvres tordues par la douleur. « Elle me fait un mal de chien.

— Capitaine, dit Barton. Qu'est-ce qu'ils ont tous ?

— J'en sais rien. » Stone fouilla dans sa poche loqueteuse à la recherche d'une cigarette. En face se trouvait un café désert : les clients avaient fui. Il y avait encore de la nourriture sur le comptoir. Un hamburger brûlait sur le gril, du café bouillait dans un pot en verre sur le réchaud.

Sur le trottoir gisaient des provisions échappées des sacs qu'avaient lâchés les chalands terrorisés. Le moteur d'une voiture abandonnée continuait à tourner au ralenti.

« Alors ? dit Leon. Qu'est-ce qu'on fait ?

— J'en sais rien.

— On ne peut tout de même pas...

— J'en sais rien ! » Stone se leva. Il traversa la rue et pénétra dans le café. Ils le regardèrent s'asseoir au comptoir.

« Qu'est-ce qu'il fait ? demanda Vecchi.

— Je ne sais pas. » Parkhurst rejoignit Stone à l'intérieur du café. « Qu'est-ce que vous faites ?

— J'attends qu'on me serve. »

D'un geste gauche, Parkhurst tira Stone par l'épaule. « Allez, capitaine. Il n'y a personne ici. Tout le monde est parti. »

Stone ne dit rien. Il resta au comptoir, le visage inexpressif, attendant passivement qu'on le serve.

Parkhurst ressortit. « Qu'est-ce qui a bien pu leur arriver ? demanda-t-il à Barton. Qu'est-ce qui leur prend, à tous ? »

Un chien tacheté vint promener sa truffe dans les parages. Il passa près d'eux, roide, aux aguets, reniflant d'un air soupçonneux. Puis il s'éloigna au petit trot dans une rue adjacente.

« Je les vois, dit Barton.

— Qui ça ?

— Ces gens. Ils nous épient. Là-haut. » Barton fit un geste en direction d'un immeuble. « Ils se cachent. Pourquoi ? Pourquoi se cachent-ils de nous ? »

Soudain, Merriweather se raidit. « On vient. »

Ils se retournèrent d'un bloc.

Au bas de la rue, deux berlines viraient dans leur direction.

« Dieu merci », marmonna Leon. Il s'adossa au mur d'un immeuble. « Les voilà. »

Les deux voitures s'immobilisèrent au bord du trottoir. Les portières s'ouvrirent. Des hommes en surgirent et les encerclèrent en silence. Ils étaient bien habillés : cravates, chapeaux et longs manteaux gris.

« Je m'appelle Scanlan, fit l'un d'eux. Je suis du F.B.I. » C'était un homme d'âge mûr aux cheveux gris fer, à la voix cassante et glaciale. Il examina les cinq astronautes avec la plus grande attention. « Où est le sixième ?

— Le capitaine Stone ? Là-dedans. » Barton désigna le café.

« Allez le chercher. »

Barton s'exécuta. « Capitaine, ils sont là. Venez. »

Stone ressortit en sa compagnie. « Qui est-ce, Barton ? demanda-t-il d'une voix heurtée.

— Six », dit Scanlan en hochant la tête. Il fit signe à ses hommes. « C'est bon. Le compte y est. »

Les agents du F.B.I. vinrent les acculer à la façade en brique.

« Hé ! cria Barton d'une voix mal assurée. Qu'est-ce qui se passe ?

— Qu'est-ce qu'il y a ? » fit Parkhurst d'une voix geignarde. Des larmes lui coulaient sur le visage, lui striant les joues. « Pour l'amour du ciel, allez-vous nous expliquer... »

Les fédéraux brandirent leurs armes. Vecchi recula, les mains en l'air. « Je vous en prie ! gémit-il. Qu'avons-nous fait ? Que se passe-t-il ? »

Un espoir soudain palpita dans la poitrine de Leon. « Ils ne savent pas qui nous sommes ! Ils nous prennent pour des cocos. » Il s'adressa à Scanlan. « Nous sommes les membres de l'expédition Terre-Mars. Je m'appelle Leon. Vous vous souvenez ? Ça a fait un an en octobre dernier. Nous sommes de retour. Nous sommes revenus de Mars. » Sa voix s'éteignit. Les armes étaient pointées sur eux. Embouts, tuyaux et réservoirs.

« Nous sommes revenus ! croassa Merriweather. Nous sommes l'expédition Terre-Mars, enfin de retour ! »

Neutre, Scanlan répondit : « Tout ça est bien beau, fit-il froidement. Le problème, c'est que le vaisseau s'est écrasé en atteignant Mars. Aucun des membres de l'équipage n'a survécu. Nous le savons parce que nous avons envoyé une équipe de récupération robotisée qui a ramené les corps — six en tout. »

Les agents du F.B.I. firent feu. Le napalm jaillit. Les six barbus reculèrent, mais les flammes les atteignirent. Les silhouettes s'embrasèrent, puis plus rien. Les fédéraux ne distinguaient plus les six silhouettes qui se débattaient, mais ils les entendaient. Ils n'y prenaient aucun plaisir, mais ils restèrent à les observer.

Scanlan donna du pied dans les restes carbonisés. « Difficile d'être sûr, dit-il. Possible qu'il n'y en ait que cinq ici... mais je n'en ai vu aucun s'échapper. Ils n'en ont pas eu le temps. » Sous la pression de son pied, un bloc de cendre se détacha et s'effrita, tas de particules encore fumantes et bouillonnantes.

Wilks, son coéquipier, gardait les yeux rivés au sol. Nouveau dans le métier, il avait du mal à en croire ses yeux. « Je... je retourne à la voiture, bredouilla-t-il en s'écartant.

— Ce n'est peut-être pas terminé. » Puis Scanlan vit l'expression de son cadet. « D'accord, dit-il, allez vous asseoir. »

Des gens commençaient à réapparaître sur les trottoirs, à couler des regards inquiets au coin des seuils et des croisées.

« Ils les ont eus ! cria un gamin enthousiaste. Ils ont eu les espions de l'espace ! »

Des photographes prenaient des clichés. Des curieux apparaissaient de tous côtés, le teint livide, les yeux exorbités, bouche bée devant la masse informe de restes carbonisés.

Les mains tremblantes, Wilks se glissa dans la voiture et referma la portière. La radio grésilla. Il l'éteignit, ne voulant ni entendre ni communiquer quoi que ce soit. À la porte du café, les agents en manteau gris s'entretenaient avec Scanlan. Enfin, certains se détachèrent du groupe et, au trot, tournèrent au coin du café pour s'enfoncer dans la ruelle voisine. Wilks les suivit du regard. *Quel cauchemar*, pensa-t-il.

Scanlan vint passer la tête à l'intérieur de la voiture. « Vous vous sentez mieux ?

— Un peu. » Il reprit : « Ça fait combien de fois... vingt-deux ?

— Vingt et une. Ça se reproduit tous les deux ou trois mois... Mêmes noms, mêmes individus. Je n'irai pas jusqu'à dire que vous vous y habituerez. Mais au moins ne serez-vous plus surpris.

— Je ne vois aucune différence entre eux et nous, articula distinctement Wilks. C'est comme si nous avions brûlé vifs six êtres humains.

— Mais non. » Scanlan s'installa sur le siège arrière, derrière Wilks. « Ils avaient seulement *l'air* d'êtres humains. Tout est là. C'est justement ce qu'ils cherchent. Ce qu'ils veulent. Vous savez bien que Barton, Stone et Leon...

— Oui, je sais. Ce qui vit là-bas a vu le vaisseau tomber, les a vus mourir et a fait son enquête avant notre arrivée. Et en a appris assez pour se procurer le nécessaire. Seulement... » Il fit un geste. « Il n'y a vraiment pas d'autre moyen ?

— Nous n'en savons pas assez sur eux. Seulement ceci... Ils nous expédient des imitations, inlassablement. Ils essaient de les infiltrer parmi nous. » Ses traits dessinèrent un masque de désespoir. « Sont-ils fous ? Peut-être sont-ils si différents de nous qu'aucun contact n'est possible. Est-ce qu'ils croient que nous nous appelons tous Leon, Merriweather, Parkhurst et Stone ? C'est ce qui me déprime, personnellement... À moins que ce ne soit une chance pour nous, le fait qu'ils ne comprennent pas que nous sommes des *individus*. Imaginez ce qui arriverait s'ils fabriquaient un jour, je ne sais pas, moi... une spore... une graine. Sans la moindre ressemblance avec ces six malheureux morts sur Mars — quelque chose dont nous ne saurions pas qu'il s'agit d'une imitation...

— Encore leur faudrait-il un modèle », dit Wilks.

Un des hommes du Bureau leur fit signe. Scanlan descendit de voiture. Quelques instants après, il revint vers son coéquipier. « Ils disent qu'il n'y en a que cinq, déclara-t-il. L'un d'eux s'est échappé ; ils pensent l'avoir vu. Il est blessé et ne se déplace pas très vite. Nous partons à sa poursuite — vous, vous restez ici ; ouvrez l'œil. » Il s'engagea à grands pas dans la ruelle en compagnie des autres fédéraux.

Wilks alluma une cigarette et posa la tête sur son avant-bras. Le mimétisme... la terreur générale. Pourtant...

Avait-on vraiment essayé d'établir le contact ?

Deux policiers apparurent et firent reculer les badauds. Une troisième Dodge noire, bourrée d'agents du F.B.I., vint se ranger le long du trottoir. Ses passagers mirent pied à terre.

Un des agents, qu'il ne reconnut pas, s'approcha de la voiture. « Votre radio n'est pas branchée ?

— Non. » Wilks la ralluma d'une pichenette.

« Si vous en voyez un, vous saurez comment le tuer ?

— Oui. »

L'homme retourna auprès de ses collègues.

Si ça ne tenait qu'à moi, se demanda Wilks, qu'est-ce que je ferais ? Essayer de découvrir ce qu'ils veulent ? Quand on a l'air si humain, qu'on se comporte de façon si humaine, on doit se sentir humain... Alors s'ils se sentent humains — quelle que soit leur véritable nature —, ne pourraient-ils pas devenir humains, avec le temps ?

Au premier rang de l'attroupement, un individu se détacha et vint vers Wilks. Hésitant, il s'immobilisa, secoua la tête, chancela, reprit son équilibre puis adopta une posture semblable à celle de ses voisins. Wilks le reconnut grâce à ses mois d'entraînement. Il avait changé de vêtements, mais sa chemise était boutonnée de travers et il avait un pied nu. De toute évidence, il ne connaissait rien aux chaussures. Ou alors il était trop hébété, trop grièvement blessé.

La chose s'approcha ; Wilks visa à l'estomac, comme on le leur avait appris ; il avait fait feu sur nombre de cibles, au stand de tir. Juste à mi-corps... tu me coupes ça en deux, comme un insecte.

L'air de plus en plus malheureux et désorienté en le voyant se préparer à tirer, la créature s'arrêta en face de lui, sans esquisser le moindre mouvement de fuite. Wilks s'aperçut alors de la gravité de ses brûlures ; elle avait peu de chances de survivre, de toute façon.

« Il le faut », dit-il.

La créature le regarda, ouvrit la bouche pour parler..

Wilks tira.

Elle n'eut pas le temps de dire quoi que ce soit. Wilks quitta son siège au moment où elle s'effondrait, morte, à côté de la voiture.

J'ai mal agi, songea-t-il en regardant le cadavre à ses pieds. J'ai tiré parce que j'avais peur. Pourtant, il le fallait. Même si c'est mal. C'était venu ici pour nous infiltrer, en nous imitant pour ne pas être démasqué. C'est ce qu'on nous dit — nous devons croire qu'ils complotent contre nous, qu'ils sont inhumains, qu'ils ne seront jamais rien de plus.

Dieu merci, se dit-il. C'est fini.

Puis il se rappela que c'était loin d'être fini...

C'était une chaude journée d'été, vers la fin juillet. Le vaisseau atterrit dans un rugissement, ravagea un champ labouré, arracha une clôture, une remise, puis finit par s'immobiliser dans une ravine.

Silence.

Parkhurst se releva, tout tremblant. Il se cramponna à la rampe de sécurité. Son épaule lui faisait mal. Il secoua la tête, étourdi.

« On y est. » Un mélange de timidité et d'enthousiasme perçait dans sa voix. « On y est !

— Aidez-moi à me remettre debout », hoqueta le capitaine Stone. Barton lui tendit la main.

Leon, assis, essuyait le filet de sang qui lui maculait le cou. L'intérieur du vaisseau était un vrai champ de bataille. La plus grande partie de l'appareillage, en miettes, était éparpillée sur le sol.

Vecchi se fraya un chemin d'un pas mal assuré vers la porte. Les doigts tremblants, il entreprit de débloquer les verrous.

« Eh bien, fit Barton, nous voilà de retour.

— J'ai peine à y croire », murmura Merriweather. La

porte céda et ils s'empressèrent de la faire pivoter. « Ça semble impossible. Cette bonne vieille Terre !

— Écoutez, souffla Leon en se laissant lourdement glisser à terre. Vite, l'appareil photo.

— C'est ridicule, fit Barton en riant.

— Vite ! hurla Stone.

— Oui, prenons-le, dit Merriweather. Comme prévu pour notre retour. Un document historique, pour les manuels scolaires. »

Vecchi fouilla dans les décombres. « Il en a pris un coup. » Il brandit l'appareil photo cabossé.

« Peut-être qu'il marchera quand même, dit Parkhurst entre deux halètements, en sortant derrière Leon. Comment faire pour nous prendre tous les six ? Il faut quelqu'un pour actionner le déclencheur.

— Je vais le mettre en déclenchement automatique, dit Stone en prenant l'appareil pour procéder au réglage. Tout le monde en rang. » Il appuya sur un bouton et rejoignit les autres.

Les six hommes barbus, déguenillés, se tinrent à côté de leur vaisseau fracassé. L'appareil photo cliqueta. Impressionnés et soudain silencieux, ils contemplèrent le paysage verdoyant. Puis ils se regardèrent, les yeux brillants.

« On est de retour ! s'écria Stone. De retour ! »

*Une proie rêvée*

*Titre original*

FAIR GAME

Le Pr Anthony Douglas s'installa avec un soulagement évident dans son fauteuil tendu de cuir rouge et poussa un soupir. Un long soupir, le temps d'ôter laborieusement ses chaussures, suivi d'une série de grognements tandis que, d'un coup de pied, il les rejetait dans un coin. Il croisa les mains sur sa plantureuse bedaine et, les yeux clos, se laissa aller en arrière.

« Fatigué ? » demanda Laura Douglas en se détournant un instant de ses fourneaux pour poser sur lui ses yeux noirs empreints de compassion.

« Tu peux le dire. » Douglas considéra le journal du soir déployé en face de lui sur le divan. Cela en valait-il la peine ? Non, pas vraiment. Il chercha ses cigarettes dans la poche de sa veste et en alluma une lentement, posément. « Et même drôlement fatigué, si tu veux savoir. Nos recherches sont en train de prendre une toute nouvelle direction. Tout un tas de brillants éléments sont arrivés de Washington aujourd'hui. Le genre porte-documents et règle à calcul.

— J'espère que ce n'est pas pour.

— Oh, non ! C'est toujours moi le chef ! » Douglas se fendit d'un grand sourire. « Rien à craindre de ce côté-là. » Un nuage de fumée gris pâle s'enflait autour de lui. « Il faudra plusieurs années avant qu'ils ne me dépassent. Ils vont devoir les aiguiser encore un peu, ces règles à calcul... »

Sa femme sourit et continua à préparer le dîner. Était-ce dû à l'atmosphère de la petite ville ? Aux pics inusables et impassibles du Colorado tout autour d'eux ? À l'air frais et piquant ? Ou aux paisibles habitants du coin ? En tout cas, son époux semblait parfaitement indifférent aux tensions et aux doutes qui maintenaient sous pression d'autres membres de sa profession. Beaucoup de nouveaux venus pleins d'allant venaient gonfler les rangs de la physique nucléaire, ces derniers temps. Les anciens en étaient ébranlés et se montraient brusquement anxieux. Toutes les universités, jusqu'au moindre département ou labo de physique, se voyaient envahies par une horde de jeunes gens compétents fraîchement débarqués. Même ici, à Bryant College, à l'écart des sentiers battus.

Mais si Anthony Douglas se faisait du souci, il n'en montrait jamais rien. Pour l'instant, il se reposait béatement dans son fauteuil, les paupières closes, un sourire de contentement aux lèvres. Fatigué mais en paix. Il poussa un nouveau soupir, cette fois davantage inspiré par le bien-être que par la lassitude.

« C'est vrai, murmura-t-il paresseusement. Je suis peut-être assez vieux pour être leur père, mais j'ai encore quelques longueurs d'avance sur eux. Évidemment, je connais mieux les ficelles du métier. De plus...

— Les ficelles du métier mais aussi les appuis à rechercher. Auprès de gens qui n'ont rien à te refuser.

— Il y a de ça aussi. Quoi qu'il en soit, je crois que je me tirerai assez bien de ces nouvelles orientations, et que... »

Sa voix s'éteignit.

« Qu'est-ce qu'il y a ? » s'enquit Laura.

Douglas se leva à demi. Blême, il regardait par la fenêtre d'un air horrifié ; cramponné aux accoudoirs, il ouvrait et refermait la bouche sans proférer un son.

Derrière la vitre se tenait un œil énorme qui scrutait la pièce, se concentrant sur lui. Il emplissait la totalité de la fenêtre.

« Dieu du ciel ! » s'écria Douglas.

L'œil se retira. Dehors, il n'y avait que le soir tombant, les collines et les arbres assombris, la rue. Douglas se laissa lentement retomber dans son fauteuil.

« Qu'est-ce qu'il y a ? demanda sèchement Laura. Qu'est-ce que tu as vu ? Il y avait quelqu'un dehors ? »

Douglas se tordait nerveusement les mains. Ses lèvres se contractaient violemment. « Je te dis la vérité, Bill. Je l'ai vu de mes yeux. Il était bien réel. Sinon tu sais bien que je ne te le raconterais pas. Tu ne me crois pas ?

— Quelqu'un d'autre l'a vu ? » demanda le Pr. William Henderson en mâchonnant son crayon d'un air pensif. Il avait ménagé un espace sur la table du dîner en repoussant son assiette et ses couverts, puis ouvert son calepin. « Laura ?

— Non, elle avait le dos tourné.

— Quelle heure était-il ?

— C'était il y a une demi-heure. Je venais de rentrer. Donc, il était environ six heures et demie. J'avais enlevé mes souliers, je me détendais. » Douglas s'essuya le front d'une main mal assurée.

« Et tu dis qu'il était isolé ? Qu'il n'y avait rien d'autre ? Juste... cet œil ?

— Juste ça, oui. Un œil énorme qui me regardait. Observant tout. Comme si...

— Quoi ?

— Comme s'il regardait dans un microscope. »

Un silence.

De l'autre côté de la table, la rousse épouse d'Henderson intervint. « Doug, toi qui as toujours été des plus stricts empiristes... qui ne donnes jamais dans l'irrationnel... Dommage que personne d'autre ne l'ait vu.

— Bien sûr que personne d'autre ne l'a vu !

— Que veux-tu dire ?

— Que ce fichu machin me regardait *moi.* C'est *moi* qu'il observait. » La voix de Douglas se fit hystérique. « Quelle impression ça fait, à votre avis, de se faire détailler par un œil gros comme un piano ! Bon sang, si je n'étais pas aussi équilibré, j'en deviendrais cinglé ! »

Henderson et son épouse échangèrent un regard. Bill, bel homme aux cheveux noirs de dix ans le cadet de Douglas, et la vive Jean, maître de conférences en psychologie infantile, souple et toute en rondeurs dans son ensemble chemisier-pantalon en nylon.

« Qu'est-ce que tu en dis ? lui demanda Bill. C'est plutôt ton domaine.

— Non, jeta Douglas. Ne cherche pas à faire passer ça pour une projection morbide. Si je suis venu te trouver, c'est parce que tu es le chef du Département de biologie.

— Tu crois que c'est un animal ? Un paresseux géant ou je ne sais quoi ?

— C'est forcément un animal.

— Ou bien une blague, suggéra Jean. Ou une publicité. Une réclame pour un oculiste. Quelqu'un a pu passer avec devant ta fenêtre. »

Douglas se reprit fermement. « Cet œil était vivant. Il me regardait. Il m'examinait. Puis il s'est retiré. Comme s'il s'était éloigné de l'oculaire. » Il frissonna. « Je vous dis qu'il était en train de *m'observer!*

— Rien que toi ?

— Moi et personne d'autre.

— Tu sembles curieusement persuadé qu'il te regardait d'en haut, dit Jean.

— En effet. Il m'observait de haut, c'est cela. » Une expression étrange traversa fugitivement ses traits. « Tu as mis le doigt dessus, Jean. C'était comme s'il venait de là-haut, ajouta-t-il en levant brusquement la main en l'air.

— Peut-être que c'était Dieu », fit Bill d'un air pensif.

Douglas resta muet. Son teint vira au gris et ses dents se mirent à s'entrechoquer.

« Absurde, commenta Jean. Dieu est un symbole psychologique transcendant, l'expression de forces inconscientes.

— Est-ce qu'il te regardait d'un air accusateur ? demanda Bill. Comme si tu avais fait quelque chose de mal ?

— Non. Plutôt avec intérêt. Beaucoup d'intérêt, même. » Douglas se leva. « Il faut que je rentre. Laura croit que je fais une espèce de crise. Je ne lui ai rien dit, naturellement. Elle n'a pas l'esprit scientifique. Elle ne peut pas s'accommoder d'un tel concept.

— Même pour nous, c'est un peu difficile », dit Bill.

Douglas se dirigea nerveusement vers la porte. « Alors tu ne vois aucune explication ? Un spécimen d'une race qu'on croyait éteinte qui rôderait encore dans ces montagnes ?

— Pas à ma connaissance. Mais si j'entends parler de quoi que ce soit..

— Tu disais que cet œil était en quelque sorte

“baissé” sur toi, coupa Jean. Et non pas que son propriétaire “se penchait” pour te regarder. Donc ça ne pouvait pas être un animal, ni une quelconque créature terrestre. » Elle se plongea dans ses réflexions. « Peut-être sommes-nous observés.

— Pas vous, fit Douglas d’une voix piteuse. Juste moi.

— Par une autre espèce, ajouta Bill. Tu crois que..

— Peut-être est-ce un œil venu de Mars. »

Douglas ouvrit précautionneusement la porte d’entrée et regarda au-dehors. Il faisait très sombre. Un vent léger caressait les arbres avant de s’engouffrer le long de la grand-route. La forme noire de la voiture du physicien se détachait vaguement sur fond de montagnes. « Si vous avez une autre idée, appelez-moi.

— Prends donc deux comprimés de phénobarbital avant de te coucher, suggéra Jean. Histoire de te calmer un peu. »

Douglas était sorti sur la véranda. « Bonne idée. Merci. » Il secoua la tête. « Peut-être ai-je perdu la tête. Enfin, à plus tard. »

Il descendit les marches en s’agrippant fermement à la rampe. « Bonne nuit ! » lança Bill. La porte se referma, la lumière du perron s’éteignit.

Douglas regagna prudemment sa voiture, chercha à tâtons la poignée de la portière. Un pas. Deux pas. C’était idiot. Il était tout de même adulte — et même plus que cela —, et on était au XX^e^ siècle. Trois pas.

Il ouvrit la portière, se glissa prestement au volant et la referma en hâte. Il récita silencieusement une prière d’action de grâces en démarrant puis en allumant les phares. Complètement idiot, voilà ce qu’il était. Un œil géant, vraiment ! C’était forcément un canular.

Il se mit à retourner inlassablement ces pensées dans

sa tête. Des étudiants ? Des plaisantins ? Des communistes ? Un complot pour lui faire perdre la raison ? Car il était quelqu'un d'important. Probablement le plus grand physicien nucléaire du pays. Et puis il y avait ce nouveau projet...

Il se dirigea lentement vers la grand-route déserte. Il scrutait chaque buisson, chaque arbre au passage, tandis que le véhicule prenait de la vitesse.

Un complot communiste. Certains étudiants appartenaient à un club gauchiste. Une sorte de groupe d'étude marxiste. Peut-être étaient-ce eux qui...

Quelque chose brilla dans la lumière des phares, au bord de la grand-route.

Pétrifié, le regard fixe, Douglas découvrit un objet anguleux, une sorte de bloc allongé parmi les hautes herbes du talus, à l'orée de la haute forêt de troncs noirs. Cela brillait de mille feux. Il ralentit jusqu'à pratiquement s'arrêter.

Un lingot d'or.

Incroyable. Lentement, Douglas baissa sa vitre. Était-ce vraiment de l'or ? Il rit nerveusement. Probablement pas. Naturellement, il en avait souvent vu. Ceci *ressemblait* à de l'or. Mais peut-être était-ce du plomb, un lingot de plomb avec une couche de dorure.

Mais... pourquoi ?

Une plaisanterie. Une farce. Des étudiants. Ils avaient dû le voir passer en voiture quand il s'était rendu chez les Henderson et en déduire qu'il ne tarderait pas à revenir.

Ou alors... ou alors c'était bel et bien de l'or. Peut-être un convoi de fonds était-il passé par là. Avait pris le virage trop vite et perdu un lingot, qui était tombé dans l'herbe. Auquel cas c'était une véritable petite fortune qui gisait là dans le noir, en bordure de route.

Seulement, il était illégal de posséder de l'or. Il serait obligé de le restituer à l'État. Mais pourquoi ne pas en scier rien qu'un petit bout, avant ? À moins qu'il ne touche une récompense quelconque s'il le restituait. Sans doute plusieurs milliers de dollars.

Un plan insensé lui traversa brièvement l'esprit. Prendre le lingot, le mettre en caisse, l'emmener au Mexique en avion. Eric Barnes possédait un Piper Cub. Il pourrait facilement le faire sortir du pays. Là il le vendrait, prendrait sa retraite et vivrait à l'aise le restant de ses jours.

Le Pr. Douglas émit un petit bruit irrité. C'était son devoir de le restituer. Il se devait d'appeler l'hôtel de la Monnaie à Denver, ou la police. Il fit marche arrière jusqu'à se retrouver à la hauteur de la barre métallique. Il coupa le moteur et descendit silencieusement sur la chaussée obscure. Il avait un devoir à accomplir. En tant qu'honnête citoyen — et Dieu savait qu'il *était* honnête, cinquante tests l'avaient montré —, il avait une mission à remplir. Il passa le bras par la vitre baissée et fourragea dans la boîte à gants à la recherche de sa lampe-torche. Si quelqu'un avait perdu un lingot d'or, c'était à lui de...

Un lingot d'or ! Mais c'était impossible, voyons. Un frisson s'empara lentement de lui et lui glaça le cœur. Dans sa tête, une voix ténue le raisonna : *Personne n'abandonnerait sur place un lingot d'or !*

Il se passait quelque chose d'anormal.

La panique le saisit. Cloué au sol, il tremblait de tous ses membres. Cette route obscure, déserte. Ces montagnes silencieuses. Il était seul. C'était l'endroit idéal s'ils voulaient l'avoir...

« Ils » ?

*Mais qui ?*

Il jeta un regard rapide autour de lui. Ils étaient cachés sous les arbres, très vraisemblablement. À l'attendre. Oui, ils attendaient sûrement qu'il traverse la grand-route pour se diriger vers le bois. Qu'il se penche pour tenter de ramasser le lingot. Un coup bref sur le crâne pendant qu'il se penchait, et voilà.

Douglas se hâta de remonter en voiture, mit promptement le contact, fit hurler le moteur et desserra le frein à main. La voiture bondit en avant et gagna bientôt de la vitesse. Les mains tremblantes, Douglas se cramponna désespérément au volant. Il devait ficher le camp de là avant qu'on ne l'attrape.

Au moment où il passait en quatrième, il jeta un dernier regard en arrière en se penchant par la vitre. Le lingot était toujours là, luisant, dans les herbes sombres du bas-côté. Mais curieusement, il avait désormais quelque chose d'indistinct, une certaine instabilité par rapport à ce qui l'entourait.

Brusquement, le lingot s'évanouit jusqu'à disparaître tout à fait dans les ténèbres.

Douglas leva les yeux et s'étrangla d'horreur.

Dans le ciel, quelque chose masquait les étoiles. Une masse tellement énorme qu'il faillit en perdre l'équilibre. Un cercle désincarné qui donnait une impression de présence vivante et se déplaçait juste au-dessus de sa tête.

C'était un visage. Un gigantesque visage cosmique tourné vers le bas, telle une grosse lune occultant tout le reste, qui resta un instant immobile, comme concentré sur lui — ou plutôt sur l'endroit où il se tenait quelques instants plus tôt. Puis, comme le lingot, le visage s'estompa et sombra dans les ténèbres.

Les étoiles revinrent. Douglas était seul.

Il s'enfonça d'un coup dans son siège. La voiture

zigzagua follement sans cesser de foncer en rugissant. Le volant lui échappa et ses mains retombèrent le long de son corps. Il finit — juste à temps — par reprendre le contrôle de son véhicule.

Il n'y avait plus aucun doute maintenant. On en avait après lui. On essayait de l'avoir. Mais ce n'étaient ni des communistes ni des étudiants facétieux. Ni même quelque bête sauvage, jaillie des profondeurs incertaines du passé.

Il ne savait pas à quoi ou à qui il avait affaire, mais en tout cas *cela* n'avait rien à voir avec la Terre. C'était une chose ou des êtres venus d'un autre monde. Et c'était à lui qu'ils en voulaient.

*À lui.*

Mais pourquoi ?

Pete Berg l'écouta attentivement. « Continue, fit-il quand Douglas s'interrompit.

— C'est tout. » Douglas se tourna vers Bill Henderson. « Et ne me dis pas que je deviens fou, parce que je l'ai *vraiment* vu. Ça me regardait d'en haut. Le visage entier, cette fois-ci, pas seulement l'œil.

— Tu crois que c'est à ce visage qu'appartenait l'œil ? demanda Jean Henderson.

— J'en suis convaincu. L'un et l'autre avaient la même expression. Un air scrutateur.

— Il faut appeler la police, déclara Laura Douglas d'une petite voix sèche. Ça ne peut pas continuer comme ça. Si quelqu'un en a après Anthony...

— La police ne sera d'aucun secours. » Bill Henderson faisait les cent pas. Il était tard, plus de minuit. Chez les Douglas, toutes les lumières étaient allumées. Dans un coin, le vieux Milton Erick, chef du Département de mathématiques, enregistrait tout ce qui se passait ; pelotonné dans un fauteuil, il arborait un visage ridé dénué d'expression.

« On peut partir du principe que nous avons affaire à une espèce extraterrestre », énonça-t-il calmement après avoir retiré sa pipe d'entre ses dents jaunies. « Leur taille et leur emplacement indiquent qu'ils n'ont rien de commun avec nous.

— Mais enfin, on ne peut pas *se tenir* comme ça dans le ciel ! explosa Jean. Il n'y a rien du tout là-haut !

— Il peut exister des configurations de la matière qui ne sont normalement pas reliées ou tangentes à la nôtre. On peut imaginer une infinité ou du moins une multiplicité d'univers coexistants juxtaposés selon des coordonnées totalement inexplicables en l'état actuel de nos connaissances. Dans ce cas, nous serions en ce moment précis, et à cause d'une conjonction particulière, en contact avec une de ces autres configurations.

— Ce qu'il veut dire, traduisit Bill Henderson, c'est que les gens qui s'en prennent à Doug n'appartiennent pas à notre univers. Qu'ils viennent d'une dimension complètement différente.

— À un moment le visage s'est mis à vibrer, murmura Doug. Comme le lingot d'or ; oui, ils ont tous les deux vibré avant de disparaître.

— Ou de se retirer, corrigea Erick. De retourner dans leur propre univers. Ils ont librement accès au nôtre, semble-t-il, grâce à un trou, pour ainsi dire, par lequel ils peuvent entrer et ressortir.

— Quel dommage qu'ils soient si grands, fit Jean. On aurait pu...

— La taille joue en leur faveur, reconnut Erick. Fâcheuse circonstance.

— Toutes ces pinailleries théoriques ! s'écria Laura,

furieuse. Nous restons assis là à échafauder des théories et, pendant ce temps, ils le poursuivent !

— Cela pourrait expliquer les dieux, fit soudain Bill.

— Les dieux ? »

Bill acquiesça. « Mais oui ! Quelque part dans le passé, ces êtres nous ont regardés à travers le nexus, ils ont glissé un œil dans notre univers. Peut-être même s'y sont-ils introduits. Les peuples primitifs les ont vus et, ne sachant expliquer leur existence, ont élaboré des religions autour d'eux. Ils se sont mis à les vénérer.

— Le mont Olympe, dit Jean. Bien sûr ! Et Moïse, qui a rencontré Dieu sur le mont Sinaï. Nous-mêmes, nous sommes assez haut dans les Rocheuses. Peut-être le contact ne se fait-il que dans les endroits élevés. Sur les montagnes.

— N'oublions pas les moines tibétains, qui vivent sur le toit du monde, ajouta Bill. Cette région de la planète est à la fois la plus haute et la plus ancienne culturellement parlant. Toutes les grandes religions ont été révélées sur une montagne. Puis ramenées par des gens qui y avaient vu Dieu et répandaient la nouvelle.

— Ce que je ne comprends pas, dit Laura, c'est pourquoi ils s'en prennent à *lui.* » Elle eut un geste impuissant. « Pourquoi pas un autre ? Pourquoi faut-il qu'ils le choisissent lui ? »

Les traits de Bill se durcirent. « Ça me paraît assez clair.

— Expliquez-vous, grommela Erick.

— Qui est Doug ? Sans doute le meilleur physicien nucléaire au monde. Il mène des travaux top secrets en matière de fission nucléaire. Ses recherches sont très poussées. Le gouvernement appuie tout ce qui se fait à Bryant College rien que parce que Douglas y œuvre.

— Et alors ?

— Alors, s'ils le veulent *lui,* c'est à cause de ses capacités. Parce qu'il *sait* des choses. Grâce à la différence de taille, ils peuvent soumettre nos existences à un examen aussi attentif que nous-mêmes le faisons dans nos labos de biologie avec... mettons une culture de *Sarcina pulmonum.* Mais ça ne veut pas dire qu'ils sont plus civilisés que nous.

— Mais oui ! s'exclama Pete Berg. Ils veulent s'approprier le savoir de Doug. Le séquestrer et utiliser ses capacités intellectuelles à leur profit.

— Des parasites, s'étrangla Jean. Si cela se trouve, ils dépendent de nous depuis toujours. C'est certainement cela ! Toutes ces disparitions inexpliquées à travers l'histoire : des gens que ces créatures ont escamotés. » Elle frémit. « Ils nous considèrent probablement comme une sorte de terrain d'expérience où s'élaborent péniblement méthodes et savoir-faire — pour leur bénéfice à *eux.* »

Douglas voulut répondre, mais les mots moururent sur ses lèvres. Il se raidit dans son fauteuil, la tête tournée de côté.

Dehors, dans l'obscurité, quelqu'un criait son nom.

Il alla à la porte sous le regard stupéfait des autres.

« Qu'y a-t-il ? s'enquit Bill. Qu'est-ce qui se passe, Doug ? »

Laura le prit par le bras. « Ça ne va pas ? Tu es malade ? Dis quelque chose ! *Doug !* »

Le Pr Douglas se dégagea d'une secousse, ouvrit la porte d'entrée et s'avança sur la véranda. La lune brillait faiblement. Une lumière douce nappait le paysage.

« Professeur Douglas ! » De nouveau cette voix, suave et fraîche — une voix de jeune fille.

Nimbée de clair de lune se tenait au pied des marches une jeune fille blonde, âgée de vingt ans tout au plus, en jupe écossaise, pull angora de couleur pâle et foulard de soie. Elle lui faisait des signes anxieux et son visage menu affichait une expression suppliante.

« Professeur, avez-vous une minute ? Il est arrivé quelque chose de très grave au... » Sa voix décrut tandis qu'elle s'écartait nerveusement de la maison pour s'enfoncer dans le noir.

« De quoi s'agit-il ? » cria-t-il.

Il percevait faiblement sa voix. Elle s'éloignait.

Tenaillé par l'indécision, Douglas hésita, puis dévala les marches pour se lancer à la poursuite de la fille, qui battait en retraite devant lui en se tordant les mains et en grimaçant de désespoir. Il la voyait haleter de terreur, chaque palpitation de sa poitrine crûment soulignée par l'éclat de la lune.

« Qu'y a-t-il ? cria Douglas. Qu'est-ce qui ne va pas ? » Il se précipita à sa suite. « Pour l'amour de Dieu, arrêtez-vous ! »

Mais la fille reculait toujours, l'entraînant de plus en plus loin de la maison, vers la grande pelouse qui marquait l'orée du campus. Douglas était furieux. Au diable cette fille ! Elle ne pouvait donc pas l'attendre ?

« Restez tranquille une minute ! » lança-t-il en se ruant derrière elle. Il s'engagea sur la pelouse noyée dans l'obscurité, essoufflé par l'épuisement. « Qui êtes-vous ? Mais enfin qu'est-ce que vous... »

Il y eut un éclair. Une aveuglante explosion de lumière s'écrasa près de lui et ouvrit une brèche fumante dans la pelouse à quelques pas de là.

Douglas s'arrêta, abasourdi. Un second éclair, cette fois juste devant lui. La vague de chaleur le rejeta en arrière. Il trébucha et faillit tomber. La fille s'était brusquement arrêtée. Elle restait silencieuse et immobile, le visage inexpressif. Elle avait tout à coup quelque chose de bizarrement cireux. D'une seconde à l'autre elle était devenue complètement inanimée.

Mais il n'avait pas le temps de penser à cela. Il fit demi-tour et, d'un pas traînant, repartit vers la maison. Un troisième éclair frappa devant lui. Il fit un écart vers la droite et se jeta dans les buissons qui poussaient au pied du mur de la maison. Il roula sur lui-même et, haletant, se plaqua le plus près possible du béton.

Un bref miroitement dans le ciel constellé d'étoiles, suivi d'un imperceptible mouvement. Puis plus rien. Il était seul. Les éclairs cessèrent. Et...

La jeune fille avait disparu elle aussi.

Un appât. Un leurre habile destiné à l'attirer dehors afin qu'il se retrouve à découvert, où ils pourraient l'atteindre.

Il se remit tant bien que mal sur ses pieds et tourna à l'angle de la maison. Bill Henderson, Laura et Berg étaient sur la véranda ; ils échangeaient des propos inquiets en le cherchant des yeux. Sa voiture était garée dans l'allée. S'il arrivait jusque-là, peut-être...

Il leva les yeux au ciel. Rien que les étoiles. Pas trace d'*eux*. S'il pouvait rouler en s'éloignant des montagnes, en direction de Denver, à une altitude moins élevée, peut-être serait-il en sécurité.

Il inspira profondément, par saccades, calculant qu'il ne devait guère y avoir plus de dix mètres entre lui et la voiture. Une trentaine de pas. S'il réussissait à y monter immédiatement...

Il s'élança. À toutes jambes. Le sentier, puis l'allée... Il saisit la poignée de la portière, se jeta au volant et mit précipitamment le contact avant de desserrer le frein à main.

La voiture s'ébranla. Le moteur crachota. Douglas enfonça désespérément la pédale d'accélérateur. Le véhicule fit un bond en avant. Sur la véranda, Laura poussa un cri aigu et se rua dans l'escalier. Son hurlement et le cri étonné de Bill se perdirent dans le rugissement du moteur.

Quelques instants plus tard, il avait rejoint la grand-route, fuyant la petite ville à toute allure sur le long ruban sinueux qui menait à Denver.

Il pourrait appeler Laura depuis Denver. Elle pourrait le rejoindre. Ils pourraient prendre le train pour l'est. Au diable Bryant College. C'était sa vie qui était en jeu. Il roula des heures, sans s'arrêter. Le soleil se leva et monta lentement dans le ciel. Il y avait davantage de voitures maintenant. Il doubla quelques gros camions qui se traînaient péniblement sur la chaussée.

Il commençait à se sentir un peu mieux. Les montagnes étaient derrière lui. Il mettait de plus en plus de distance entre *eux* et lui...

Le moral revint à mesure que l'atmosphère se réchauffait sous les rayons du soleil matinal. Il y avait des centaines d'universités et de laboratoires disséminés dans tout le pays. Il lui serait facile de poursuivre ses travaux ailleurs. Une fois loin des montagnes, il serait à jamais hors de *leur* portée.

Il ralentit. Sa jauge d'essence était presque à zéro.

Sur la droite se trouvait une station-essence et un petit restaurant routier. Cela lui rappela qu'il n'avait pas pris de petit déjeuner. Son estomac commençait à protester. Il y avait deux ou trois voitures garées devant et quelques personnes au comptoir.

Il quitta la route et entra dans la station-service.

« Le plein ! » cria-t-il au pompiste. Puis il posa le pied sur le gravier déjà brûlant en laissant sa voiture en prise. Il salivait. Ah, une assiette de galettes bien chaudes avec du jambon et du café noir fumant... « Je peux la laisser là ?

— La voiture ? » Le pompiste tout de blanc vêtu dévissa le bouchon et entreprit de remplir le réservoir. « Que voulez-vous dire ?

— Faites le plein et garez-la, d'accord ? Je reviens dans trois minutes. Je vais prendre le petit déjeuner.

— Le petit déjeuner ? »

Douglas était agacé. Qu'est-ce qui lui prenait, à ce type ? Il lui désigna le restoroute. Un chauffeur de poids lourd se tenait à présent sur le seuil ; il se curait les dents d'un air pensif. À l'intérieur, la serveuse allait et venait en tous sens. Douglas humait déjà le café, le bacon en train de frire sur le grill. Le son métallique et grêle du juke-box lui parvint. Un bruit familier, rassurant.

« Là-bas, au restoroute », reprit-il à l'intention du pompiste.

Ce dernier s'interrompit, rectifia lentement la position du tuyau et tourna vers Douglas un visage à l'expression indéchiffrable. « Quel restoroute ? » fit-il.

Alors le restoroute se mit à vibrer, et s'évanouit en un clin d'œil. Douglas réprima un hurlement de terreur. À sa place il n'y avait plus qu'un terrain en friche.

De l'herbe brunâtre. Quelques boîtes en fer-blanc rouillées. Des bouteilles. Des détritus. Une clôture de guingois. Et au loin, les montagnes.

Douglas essaya de rester maître de lui-même. « Je suis un peu fatigué », marmonna-t-il. Il remonta gauchement en voiture. « Combien vous dois-je ?

— Je viens à peine de commencer à remplir le...

— Tenez. » Douglas lui tendit un billet avec insistance. « Écartez-vous. » Il fonça vers la route, plantant là le pompiste stupéfait qui le suivit du regard.

Il l'avait échappé belle. Cette fois-ci, il avait bien failli tomber dans le piège.

Mais ce qui lui faisait le plus peur, ce n'était pas d'avoir frôlé le danger. *C'était qu'ils aient toujours de l'avance sur lui alors qu'il s'était éloigné des montagnes.*

Cela n'avait servi à rien. Il n'était pas plus en sécurité que la veille. *Ils* étaient partout.

La voiture filait sur la grand-route. Il se rapprochait de Denver... mais à quoi bon ? Ça ne ferait aucune différence. Même s'il s'enterrait dans un trou au beau milieu de la vallée de la Mort, il ne serait toujours pas en sécurité. Ils ne le lâcheraient pas. Cela au moins était clair.

Il se creusa la tête. Il fallait qu'il trouve quelque chose, un moyen de leur échapper.

Une société fondée sur le parasitisme... Une espèce de prédateurs dont la proie était le genre humain et qui reprenait à son compte le savoir-faire, les découvertes de celui-ci. C'était bien ce que Bill avait dit, non ? Qu'*ils* en voulaient à ses compétences personnelles, à son talent unique en matière de physique nucléaire. On l'avait choisi, isolé de la masse en raison de ses aptitudes supérieures et de sa formation très poussée. Ils le pourchasseraient jusqu'à le coincer. Et alors... et alors quoi ?

Un sentiment d'horreur l'envahit. Le lingot d'or. L'appât. Cette fille lui avait pourtant *paru* on ne peut plus réelle. Ainsi que le restoroute et ses consommateurs. Sans parler des odeurs de nourriture.

Ah, si seulement il était un type ordinaire, sans dispositions particulières. Si seulement...

Soudain retentit une série de claquements réguliers ; la voiture fit une embardée. Douglas poussa un juron hystérique. Un pneu crevé ! C'était bien le moment !...

Oui, bien le moment.

Douglas immobilisa son véhicule sur le bas-côté, coupa le moteur et serra le frein à main. Il resta un moment sans rien faire, puis fourragea dans les poches de sa veste pour en sortir un paquet de cigarettes tout écrasé. Il en alluma lentement une, puis baissa la vitre pour faire entrer un peu d'air.

Il était pris au piège, bien sûr. Il ne pouvait plus rien faire. Cette crevaison n'était évidemment pas un hasard. Elle était due à la présence sur la chaussée d'objets semés d'en haut. Quelque chose comme des punaises.

La grand-route était déserte. Pas une voiture en vue. Il était totalement seul entre deux agglomérations. Denver était encore à une cinquantaine de kilomètres. Il n'avait aucune chance d'y arriver. Autour de lui, rien que des champs désespérément plats, d'infinies étendues désolées.

Oui, la plaine... et au-dessus, le ciel bleu.

Douglas leva les yeux. Il ne *les* voyait pas, mais ils étaient bien là, à attendre qu'il descende de voiture. Son génie allait se retrouver au service d'une civilisation étrangère. Il deviendrait un instrument entre leurs mains. Toute sa science serait à eux. Il serait un esclave, rien de plus.

En un sens, c'était assez flatteur. Il avait tout de même été choisi entre tous. Lui et lui seul. Ses joues se colorèrent quelque peu. Sans doute l'observaient-ils depuis quelque temps déjà. Ce gros œil avait souvent dû se braquer sur lui par le truchement de quelque télescope — ou microscope, il ne savait pas. En voyant de quoi il était capable, son propriétaire avait compris à quel point il serait précieux pour sa propre espèce.

Douglas ouvrit la portière et descendit sur la chaussée brûlante. Il laissa tomber sa cigarette et l'écrasa calmement. Puis il inspira à fond et s'étira en bâillant. Il voyait les punaises à présent ; elles allumaient çà et là de petits éclats lumineux sur le bitume. Ses deux pneus avant étaient crevés.

Un chatoiement au-dessus de sa tête. Douglas attendit tranquillement. Maintenant que le moment était venu, il n'avait plus peur. Il assistait aux événements avec une sorte de curiosité détachée. Le chatoiement se déploya en éventail en prenant des proportions de plus en plus amples. Il marqua une courte hésitation, puis descendit sur Douglas.

Ce dernier laissa l'énorme filet cosmique se refermer sur lui. Les fibres se resserrèrent autour de lui et l'ensemble s'éleva dans le ciel. Douglas se sentit décoller du sol. Mais il était détendu, en paix ; il n'avait plus peur.

À quoi bon ? Il accomplirait plus ou moins les mêmes travaux qu'avant. Laura et l'université lui manqueraient ; tout le milieu intellectuel de la faculté, les visages épanouis des étudiants. Mais sans doute trouverait-il à qui parler là-haut. Les individus avec qui il travaillerait. Des cerveaux rompus à la recherche scientifique avec lesquels communiquer.

Le filet montait de plus en plus vite. Le sol s'éloignait à toute allure. La surface de la Terre s'incurva. Douglas observa l'ensemble avec un intérêt tout professionnel. Au-dessus de lui, entre les mailles compliquées du filet, il distinguait les contours de l'autre univers, ce nouveau monde vers lequel il se dirigeait.

Des silhouettes énormes. Deux formes accroupies, incroyablement grandes, penchées en avant. L'une ramenait le filet. L'autre regardait ; elle tenait quelque chose dans ses mains. Il entrevit également une partie du décor. Des formes floues, si grandes que Douglas ne pouvait les appréhender.

Une pensée lui parvint tout à coup. *Enfin ! Que d'efforts !*

*Ça valait le coup*, pensa l'autre créature.

Leurs pensées rugissantes le traversaient de part en part. Des pensées puissantes, issues d'immenses esprits.

*J'avais raison. C'est le plus gros qu'on ait eu jusqu'à présent. Belle prise !*

*Il doit bien peser ses vingt-quatre* ragets*!*

*Pas trop tôt !*

Soudain, Douglas perdit sa belle assurance. Un frisson s'empara de lui. De quoi parlaient-ils ? Que voulaient-ils dire par là ?

Mais à ce moment-là on le laissa tomber du filet. Il chuta. Quelque chose montait vers lui. Une surface plane, luisante. Qu'est-ce que c'était ?

Bizarrement, cela ressemblait un peu à une poêle à frire.

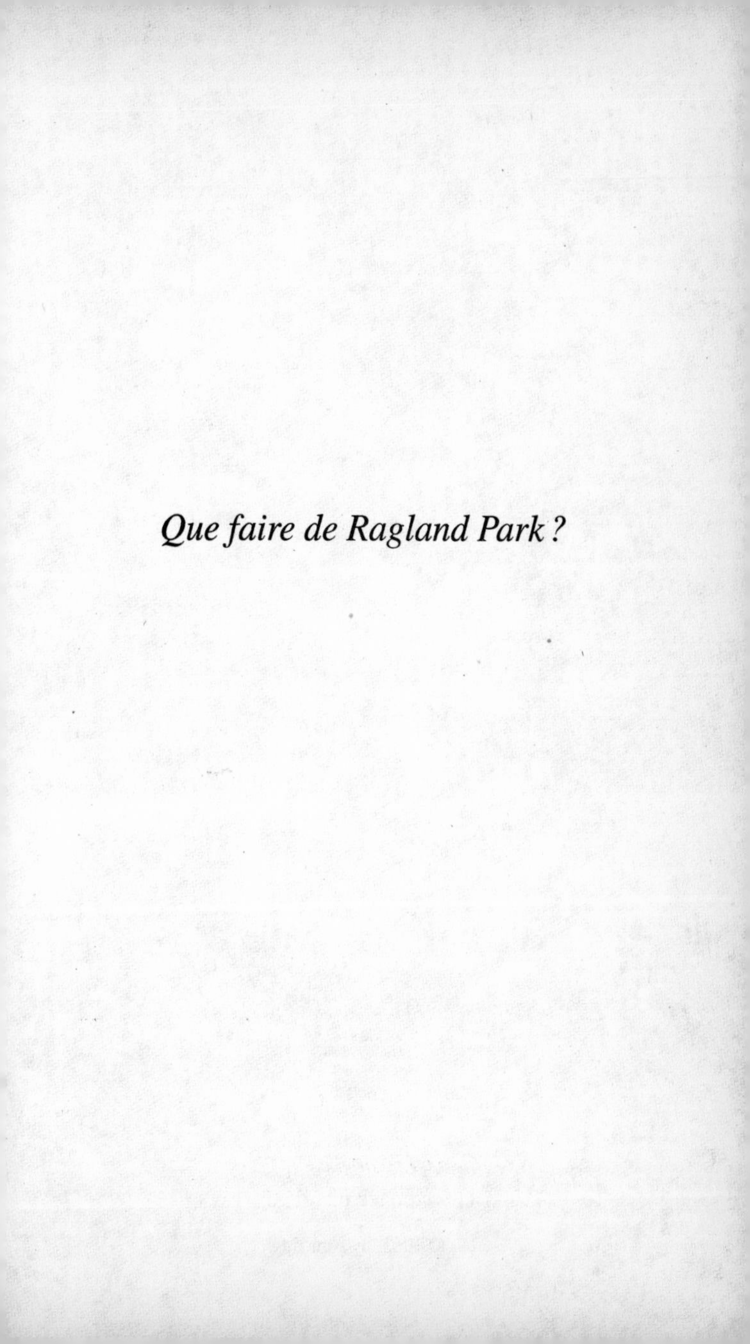

*Que faire de Ragland Park ?*

*Titre original :*
WHAT'LL WE DO WITH RAGLAND PARK ?

En son domaine près de John Day, Oregon, bourg spécialisé dans l'industrie du bois, Sebastian Hada mangeait pensivement une grappe de raisin en regardant la télévision. Acheminé par transport aérien illégal, ce raisin provenait d'une de ses fermes de Sonoma Valley, en Californie. Il crachait les pépins dans l'âtre, écoutant à demi son présentateur de CULTURE livrer un exposé sur le buste chez les sculpteurs du XX^e siècle.

*Si seulement je pouvais faire venir Jim Briskin sur ma chaîne,* pensa Hada avec mélancolie. Le plus célèbre infoclown de la télé, si populaire avec sa perruque rouge flamboyant et son bagou chaleureux, sans façon... *C'est de cela que CULTURE a besoin,* se rendit-il compte. Malheureusement...

Malheureusement la société était pour l'heure sous la férule de l'imbécile — mais fort compétent — président Maximilian Fischer, et celui-ci avait croisé le fer avec Jim-Jam Briskin ; en fait, il l'avait même fait jeter en prison. Résultat : Jim-Jam n'était plus disponible, ni pour le réseau commercial reliant les trois planètes habitées, ni pour CULTURE. Et pendant ce temps, Max Fischer continuait de gouverner.

*Si j'arrivais à le faire sortir de prison,* se disait Hada, *peut-être, par gratitude, viendrait-il sur ma chaîne en abandonnant ses sponsors, Reinlander et Calbest Electronics ; après tout, ils n'ont pas su le faire libérer malgré leurs manigances auprès des tribunaux. Ils n'ont pas le pouvoir de ceux qui savent s'y prendre... mais moi si.*

Une des épouses de Hada, Thelma, était entrée dans le salon et regardait l'écran debout derrière lui. « Ne te mets pas là, s'il te plaît, fit Hada. Ça me fait paniquer ; j'aime bien voir le visage des gens. » Il se retourna dans son fauteuil moelleux.

« Le renard est revenu, dit Thelma. Je l'ai vu ; il me regardait. » Elle rit de plaisir. « Il a l'air si sauvage, si indépendant... un peu comme toi, Seb. J'aurais voulu pouvoir le filmer.

— Il faut que je fasse libérer Jim-Jam », dit à voix haute Hada, qui venait de prendre sa décision.

Il décrocha le téléphone et appela le directeur de production de CULTURE, Nat Kaminsky, sur le satellite de transmission terrien appelé Culone.

« Dans une heure exactement, dit Hada à son employé, je veux que toutes nos succursales se mettent à réclamer la libération de Jim-Jam Briskin. Ce n'est pas un traître, contrairement à ce que déclare le président Fischer. En fait, ses droits politiques, sa liberté de parole lui ont été retirés en toute illégalité. Vous saisissez ? Diffusez des extraits de ses émissions, faites-le mousser... vous m'avez compris. » Ensuite, Hada appela son avocat, Art Heaviside.

Thelma lui dit : « Je ressors nourrir les animaux.

— D'accord », dit Hada en allumant une Abdulla, cigarette turque de fabrication anglaise dont il était très friand. « Art ? dit-il dans le combiné. Mettez-vous sur le dossier Jim-Jam Briskin ; trouvez un moyen de le faire relâcher. »

L'avoué protesta : « Mais, Seb, si on se mêle de ça, on aura le président Fischer et le F.B.I. sur le dos ; c'est trop risqué. »

Hada répondit : « J'ai besoin de Briskin. CULTURE est devenu pompeux — regardez donc ce qui passe à l'écran en ce moment. Pour une chaîne éducative et artistique, il nous faut une *personnalité*, un bon info-clown ; en bref, il nous faut Jim-Jam. » Les sondages Telscan révélaient une inquiétante baisse d'audience, mais cela, il ne le confia pas à Art Heaviside ; cela, c'était confidentiel.

L'avocat soupira. « Très bien, Seb. Mais Briskin est accusé de sédition en temps de guerre.

— En temps de guerre ? Et contre qui, cette guerre ?

— Ces vaisseaux extraterrestres, vous savez bien. Ceux qui sont entrés dans le système solaire en février dernier. Bon sang, Seb ; vous savez parfaitement que nous sommes en guerre ; vous ne pouvez pas avoir l'arrogance de le nier ; c'est un fait établi.

— À mon avis, dit Hada, ces extraterrestres ne sont pas animés d'intentions hostiles. » Il reposa rageusement le combiné. *En fait, c'est le moyen qu'a trouvé Max Fischer pour se maintenir au pouvoir,* se dit-il. *Agiter la menace de la guerre. Je vous le demande, quels dégâts ont* réellement *commis les extraterrestres ces derniers temps ? Après tout, le système solaire ne nous appartient pas. Nous aimons à le croire.*

Quoi qu'il en soit, CULTURE, la télé éducative par excellence, s'étiolait ; en tant que propriétaire de la chaîne, Sebastian Hada se devait d'agir. *Est-ce ma vigueur personnelle qui décline ?* se demanda-t-il.

Décrochant une fois de plus le téléphone, il appela son analyste, le Dr. Ito Yasumi, en son domaine proche de Tokyo. *J'ai besoin d'aide,* se disait-il. *Le créateur et soutien financier de* CULTURE *a besoin d'aide. Et cette aide, le Dr. Yasumi peut me la procurer.*

Assis derrière son bureau, le Dr. Yasumi lui faisait face. « Hada, dit-il, peut-être problème vient de vous avoir huit épouses. C'est environ cinq de trop. » Il lui fit signe de regagner le divan. « Vous retrouver calme, Hada. Assez triste qu'important financier comme S. Hada s'effondre à cause stress. Vous peur F.B.I. de président Fischer arrêter vous comme Jim Briskin ? » Il sourit.

« Non, répondit Hada. Je suis intrépide. » À demi étendu, les bras derrière la tête, il contemplait une reproduction de Paul Klee au mur... ou peut-être était-ce un original ; somme toute, les bons analystes gagnaient des sommes folles : Yasumi lui prenait mille dollars la demi-heure.

Yasumi dit pensivement : « Peut-être vous devoir prendre pouvoir, Hada, par coup d'État audacieux contre Max Fischer. Entreprendre magouille à votre tour ; devenir président puis libérer Mr. Jim-Jam. Alors, plus problème.

— Fischer a les forces armées derrière lui, répondit lugubrement Hada. En sa qualité de commandant en chef. Grâce au général Tompkins, qui aime bien Fischer, elles lui vouent une loyauté absolue. » Il avait déjà réfléchi à la question. « Peut-être devrais-je me réfugier dans mon domaine de Callisto », murmura-t-il. Celui-ci était superbe, et Fischer n'y avait aucune autorité. Le territoire n'était pas américain mais hollandais. « De toute façon, je ne veux pas me battre ; je ne suis pas un combattant, un bagarreur de rue ; je suis un homme de culture.

— Vous être organisme biophysique pourvu de réactions programmées ; vous être vivant. Tout ce qui vit combat pour survivre. Vous vous battrez si nécessaire, Hada. »

Regardant sa montre, Hada répondit : « Il faut que je m'en aille, Ito. À trois heures, j'ai rendez-vous à La Havane pour interviewer un nouveau chanteur folk qui joue des ballades au banjo et fait un malheur en Amérique latine. Il s'appelle Ragland Park ; il peut redonner vie à CULTURE.

— Je connaître lui, dit Ito Yasumi. Vu lui à la télé commerciale ; très bon sur scène. Moitié sud des U.S., moitié hollandais, très jeune, avec grosse moustache noire et yeux bleus. Magnétique, ce Rags, comme on l'appelle.

— Mais la chanson folk est-elle culturelle ? souffla Hada.

— Je vous dire, reprit le Dr. Yasumi. Rags Park être étrange ; moi remarquer, même sur télé. Pas comme autres gens.

— C'est pourquoi il fait tant sensation.

— Plus que cela. Je diagnostique. » Yasumi réfléchit. « Vous savoir, maladie mentale et pouvoirs psioniques étroitement liés, comme dans effet poltergeist. Nombreux schizophrènes catégorie paranoïaque être télépathes, capter haine inconsciente chez membres entourage.

— Je sais », soupira Hada, songeant que ce laïus à base de théorie psychiatrique lui coûtait des centaines de dollars.

« Très prudent avec Rags Park, conseilla le Dr Yasumi. Vous individu impulsif, Hada ; vous réagir trop vite. D'abord idée de délivrer Jim-Jam Briskin, risquant courroux du F.B.I., et maintenant ce Rags Park. Vous être comme chapelier, comme puce humaine. Meilleure solution, je dis, être affronter ouvertement président Fischer, pas manœuvres tortueuses comme je prévois vous faire.

— Tortueuses ? murmura Hada. Je ne suis pas tortueux.

— Vous plus tortueux de tous mes patients, répliqua carrément le Dr. Yasumi. Vous avoir ruse dans le sang, Hada. Attention pas risquer votre peau à force comploter. » Il hocha discrètement la tête.

« Je serai prudent », dit Hada, qui songeait à Rags Park et entendait à peine ce que lui disait le Dr. Yasumi.

« Petit service, le pria le thérapeute. Vous arranger moi examiner Mr. Park ; j'apprécierais, d'accord ? Dans votre intérêt, Hada, et aussi intérêt professionnel. Peut-être talent psi d'un genre nouveau ; on ne sait jamais.

— Entendu, accepta Hada. Je vous appellerai. » *Toutefois*, pensa-t-il, *pas question de payer ; pour examiner Rags Park, vous prendre sur votre propre temps.*

Avant son rendez-vous avec le chanteur de ballades, il eut l'occasion de passer à la prison fédérale new-yorkaise où Jim-Jam Briskin était détenu pour cause de sédition en temps de guerre.

Hada n'avait jamais rencontré l'infoclown en personne ; il fut surpris de découvrir combien l'homme semblait plus âgé qu'à la télé. Mais peut-être son arrestation, ses ennuis avec le président Fischer, l'avaient-ils temporairement abattu. *Cela suffirait à abattre n'importe qui,* songea Hada comme le policier ouvrait la cellule et le faisait entrer.

« Comment vous êtes-vous retrouvé aux prises avec le président Fischer ? » interrogea-t-il.

L'infoclown haussa les épaules. « Vous avez vécu cette période de l'histoire comme moi. » Il alluma une cigarette et fixa d'un air neutre un point situé derrière Hada.

Il faisait allusion à la panne du grand ordinateur de solutionnement sis à Washington, D.C., Unicéphalon 40-D, qui faisait office de président des États-Unis et commandant en chef des forces armées jusqu'à ce qu'un missile tiré par les vaisseaux extraterrestres le mette hors d'état. Durant cette période, le président suppléant, Max Fischer, avait pris le pouvoir ; c'était un lourdaud mis en place par le syndicat, un godillot assez primitif mais qui faisait preuve d'une ruse paysanne hors du commun. Quand Unicéphalon 40-D avait été remis en service, il avait démis Fischer de ses fonctions et ordonné à Jim Briskin de cesser toute activité politique. Aucun des deux hommes n'avait obéi. Le second avait poursuivi sa campagne contre Fischer, lequel était parvenu, par on ne savait quelle méthode, à remettre l'ordinateur hors service, redevenant ainsi président des États-Unis.

Et sa première initiative avait été de coller Jim-Jam en prison.

« Mon avocat, Art Heaviside, est-il venu vous voir ? questionna Hada.

— Non, répondit sèchement Briskin.

— Écoutez, mon vieux. Sans mon aide, vous moisirez en prison pour le restant de vos jours, ou en tout cas jusqu'à la mort de Max Fischer. Cette fois-ci, il ne commettra pas l'erreur de laisser réparer Unicéphalon 40-D ; l'ordinateur est définitivement hors circuit.

— Et en échange de ma libération, vous voulez que je travaille pour votre chaîne. » Il tirait quelques bouffées rapides sur sa cigarette.

« J'ai besoin de vous, Jim-Jam. Il fallait du cran pour dénoncer en Fischer le bouffon assoiffé de pouvoir qu'il est réellement ; ce président est une terrible menace suspendue au-dessus de nos têtes ; si nous ne joignons pas nos forces, et n'agissons pas rapidement, il sera trop tard ; nous serons morts tous les deux. Vous savez bien — en fait, vous l'avez même dit à la télé — que Fischer s'abaisserait volontiers jusqu'à l'assassinat pour parvenir à ses fins.

— Et je pourrai dire ce que je veux sur votre antenne ?

— Je vous accorde une liberté absolue. Attaquez qui vous voudrez, moi compris. »

Après une pause, Briskin répondit : « J'accepte votre offre, Hada... Mais je doute que même Art Heaviside puisse me sortir d'ici. C'est Leon Lait en personne, l'avocat général de Fischer, qui conduit le procès contre moi.

— Ne vous résignez pas. Des milliards de spectateurs attendent de vous voir ressortir de cette cellule. En ce moment, toutes mes stations réclament votre libération à grands cris. La pression du public est de plus en plus forte. Même Max devra en tenir compte.

— Ce que je crains, c'est qu'il ne m'arrive un "accident", objecta Briskin. Comme il est arrivé un "accident" à Unicéphalon 40-D une semaine après sa remise en marche. Si lui-même n'a pu se tirer d'affaire, comment voulez-vous que moi, je...

— *Vous*, vous avez peur ? fit Hada, incrédule. Jim-Jam Briskin, le grand infoclown... Incroyable. »

Il y eut un silence.

Briskin reprit : « La raison pour laquelle mes sponsors, la bière Reinlander et Calbest Electronics, n'ont pu me faire sortir, c'est que... » Une pause. « Le président Fischer a fait pression sur eux. Leurs avocats me l'ont pour ainsi dire avoué. Quand Fischer apprendra que vous essayez de m'aider, il fera peser sur vous tous les moyens de pression à sa disposition. » Il dévisagea Hada d'un œil perçant. « Aurez-vous la résistance nécessaire ? Je me demande.

— Mais oui, répondit Hada. Comme je le disais au Dr. Yasumi...

— Il fera pression aussi sur vos épouses, continua Jim-Jam Briskin.

— Je vais demander le divorce. Pour les huit », s'emporta Hada.

Briskin lui tendit une main qu'il accepta. « Alors marché conclu, dit Jim-Jam. Je me mettrai au travail pour CULTURE dès ma sortie d'ici. » Son sourire était empreint de lassitude, mais aussi d'une certaine dose d'espoir.

Transporté, Hada dit : « Avez-vous entendu parler de Rags Park, le chanteur de ballades folk ? À trois heures aujourd'hui, je l'engage également.

— Il y a un poste de télé ici ; de temps à autre j'entends une des chansons de Park, dit Briskin. Il est bon. Mais est-ce que ça convient à CULTURE ? Ce n'est pas exactement éducatif.

— CULTURE est en train de changer. À partir de maintenant, nous allons emballer différemment le didactisme. Nous perdons notre public. Je ne veux pas voir CULTURE décliner. Le concept même qui en est la base... »

Le mot CULTURE était un sigle signifiant « Comité utilisant la langue et le travail pour l'urbanisme revu et encouragé ». Une grande partie des biens immobiliers de Hada était matérialisée par la ville de Portland, Oregon, qu'il avait acquise intacte dix ans auparavant. Elle ne valait pas grand-chose ; typique des constellations de taudis à demi abandonnés devenues non seulement repoussantes mais complètement dépassées, Portland revêtait à ses yeux une certaine valeur sentimentale, car il y était né.

Mais il gardait une idée en tête. Si un jour, pour une raison ou pour une autre, les colonies des planètes et des lunes devaient être abandonnées, les colons reviendraient sur Terre par milliers et les villes se repeupleraient. Et depuis que ces vaisseaux extraterrestres papillonnaient autour des planètes extérieures, ce n'était plus si invraisemblable. En fait, des familles avaient déjà réémigré sur Terre...

Ainsi, au-delà des apparences, CULTURE n'était pas tout à fait le service public non lucratif qu'on aurait pu croire. Les stations de Hada martelaient le concept séduisant de *ville*, avec tout ce qu'elle avait à offrir, par opposition à la pauvreté culturelle des colonies. Laissez tomber la rude existence de la frontière, déclarait CULTURE nuit et jour. Rentrez sur votre planète ; remettez en état les villes à l'abandon. C'est là qu'est votre vraie place.

Briskin le savait-il ? se demandait Hada. L'infoclown saisissait-il le véritable objectif de ses sociétés ?

Il le saurait quand il serait parvenu à le tirer de prison pour le placer devant les micros de CULTURE.

À trois heures, Sebastian Hada rencontra le chanteur folk Ragland Park au bureau de La Havane de CULTURE.

« Je suis heureux de faire votre connaissance », fit timidement Rags Park. Grand, maigre, avec effectivement une grosse moustache noire dissimulant presque entièrement sa bouche, il piétinait d'un air embarrassé ; dans ses yeux bleus se lisait une authentique gentillesse. Il émanait de lui une suavité inhabituelle, nota Hada. Une espèce de sainteté. Il était impressionné.

« Et vous jouez à la fois de la guitare et du banjo à

cinq cordes ? dit Hada. Enfin, pas en même temps, bien sûr. »

Rags Park marmonna : « Non, monsieur. J'alterne. Voulez-vous que je vous joue quelque chose ?

— Où êtes-vous né ? » demanda Nat Kaminsky. Hada s'était adjoint son directeur de production, dont l'opinion était précieuse dans ces cas-là.

« Dans l'Arkansas, répondit Rags. Ma famille élève des porcs. » Il avait son banjo avec lui. Il en tira nerveusement quelques notes. « Je connais une chanson très triste, à vous briser le cœur. Elle s'appelle "Pauvre vieux ch'val". Voulez-vous que je vous la chante ?

— Nous vous avons entendu, lui dit Hada. Nous savons que vous avez du talent. » Il essaya de se représenter ce jeune homme maladroit grattant ses cordes sur CULTURE, entre deux documentaires sur les sculpteurs portraitistes du XX^e^. Difficile à imaginer...

« Je parie qu'il y a une chose que vous ne savez pas sur moi, Mr. Hada. J'invente un tas de ballades à moi.

— Créatif, dit sans rire Kaminsky à Hada. C'est bien.

— Par exemple, continua Rags, j'ai composé une ballade sur un certain Tom McPhail qui fait quinze kilomètres en courant avec un seau d'eau pour aller éteindre le feu qui a pris dans le berceau de sa petite fille.

— Y est-il parvenu ? voulut savoir Hada.

— Mais oui. "Tom McPhail court comme l'éclair avec son seau d'eau claire." » Rags se mit à chantonner en caressant ses cordes pour s'accompagner.

*Voici venir c'brav'Tom McPhail*
*Avec son seau, il fait merveille.*

*Il ne l'lâche plus et le voilà,*
*Son cœur se serre mais il l'sent pas.*

*Dzing, dzing,* faisait le banjo, à la fois pressant et déchirant.

Kaminsky dit d'un ton pincé : « J'ai vu certains de vos spectacles, et je ne vous ai jamais entendu chanter cette chanson-là.

— Ah ! répondit Rags, c'est que j'ai eu des malheurs avec elle. Il se trouve qu'il y a vraiment un Tom McPhail. À Pocatello, Idaho. J'ai chanté cette histoire à la télé le 14 janvier, et il en a pris ombrage ; il écoutait l'émission. Il m'a fait écrire par son avocat.

— N'était-ce pas simplement un homonyme ? demanda Hada.

— Ma foi, dit Rags, se tortillant de plus belle, il semble qu'il y ait réellement eu un incendie chez lui, à Pocatello ; McPhail a paniqué et couru remplir son seau au ruisseau, qui était à quinze kilomètres, comme dans la chanson.

— Est-il revenu à temps ?

— Oui, c'est bien le plus étonnant », dit Rags.

Kaminsky dit à Hada : « Il vaudrait mieux que, sur CULTURE, Mr. Park s'en tienne aux authentiques vieilles ballades anglaises genre *Greensleeves*. Cela correspondrait davantage à ce que nous recherchons. »

Songeur, Hada dit à Rags : « C'est vraiment pas de chance de choisir un nom correspondant à un individu existant pour de vrai... Avez-vous connu la même mésaventure depuis ?

— C'est arrivé, admit Rags. J'ai écrit une ballade la semaine dernière... À propos d'une Miss Marsha Dobbs. Écoutez.

*Jour et nuit, Marsha Dobbs aime un homme marié*
*À sa femme elle dérobe un cœur et son foyer,*
*Jack Cooks volé, voilà un mariage ruiné.*

« C'est le premier couplet, expliqua Rags. Il y en a dix-sept ; Marsha vient travailler comme secrétaire au bureau de Jack Cooks, elle va déjeuner avec lui, puis ils se retrouvent le soir et...

— Y a-t-il une morale à la fin ? voulut savoir Kaminsky.

— Oh oui ! dit Rags. Il ne faut jamais prendre le mari d'une autre sinon le ciel vengera l'épouse déshonorée. Dans ce cas précis :

*Une méchante grippe eut Jack Cooks au tournant.*
*Et Marsha Dobbs d'avoir un infarctus violent.*
*Mais pour Mrs. Cooks le ciel, en sa grande clémence,*
*L'entoura de ses soins et de sa bienveillance...* »

Hada l'arrêta : « Parfait Rags. Ça suffit. » Il adressa une grimace à Kaminsky.

« Et je parie qu'il s'est révélé, dit ce dernier, qu'il existait une Marsha Dobbs, laquelle a eu une aventure avec son patron, nommé Jack Cooks.

— Exactement, dit Rags en hochant la tête. Aucun avocat ne m'a appelé, cette fois, mais j'ai lu dans l'homéojournal, le *New York Times*, que Marsha était morte d'une crise cardiaque, et cela au moment précis où... » Il hésita pudiquement. « Vous voyez ce que je veux dire. Pendant qu'elle et Jack Cooks étaient sur un satellite motel à se conter fleurette.

— Avez-vous supprimé cette chanson de votre répertoire ? s'enquit Kaminsky.

— Ma foi, dit Rags, je n'arrive pas à me décider.

Personne ne me fait de procès... Et la ballade me plaît bien. Je pense que je vais la garder. »

En son for intérieur, Hada songea : *Que dit Yasumi, déjà ? Qu'il pressent des pouvoirs psi d'un genre inhabituel chez Ragland Park... peut-être a-t-il la capacité parapsychologique de tomber par malchance, dans ses ballades, sur des gens qui existent vraiment. Pas franchement un talent, ça.*

D'un autre côté, cela pouvait être une variante du don de télépathie... et moyennant quelques traficotages, cela pouvait se révéler *très* précieux.

« Combien de temps vous faut-il pour écrire une ballade ?

— Je peux en inventer une sur-le-champ, répondit Park. Là, maintenant ; donnez-moi un thème et je la compose ici même, dans votre bureau. »

Hada médita un instant ; puis : « Ma femme Thelma nourrit un renard cendré dont je sais — ou crois savoir — qu'il a tué et mangé notre plus beau canard. »

Après un moment de réflexion, Rags Park gratta :

*« Thelma Hada avait un renard pour copain,*
*Et lui avait bâti une niche en vieux pin.*
*Soudain, un triste gloussement :*
*Plus de canard pour Sebastian !*

— Les canards ne gloussent pas, ils font coin-coin, remarqua Nat Kaminsky, critique.

— C'est un fait », reconnut Rags. Il se concentra, puis entonna :

*« Le chef de prod d'Hada m'a mis dedans, car point*
*Ne gloussent les canards : ils font coin-coin ! »*

Kaminsky déclara avec un grand sourire : « O.K., Rags, vous m'avez convaincu. » Puis, se tournant vers Hada : « Je vous recommande de l'engager.

— Encore une question, dit Hada à Rags. Vous pensez personnellement que le renard a mangé mon canard ?

— Alors ça, fit Rags, je n'en sais rien du tout.

— Mais c'est ce que vous prétendez dans la ballade, souligna Hada.

— Attendez que je réfléchisse », dit Rags. Il se remit à gratter ses cordes et entonna :

*« C'que dit Hada est bien intéressant.*
*Aurait-on sous-estimé mon talent ?*
*Je n'suis peut-être pas un gars si ordinaire,*
*Serait-ce grâce au psi que je trouve mes airs ?*

— Comment savez-vous que je pensais en termes de facultés psi ? demanda Hada. Vous êtes capable de lire les pensées intimes, n'est-ce pas ? Yasumi avait raison.

— Monsieur, je ne fais que chanter et gratter ma guitare ; je ne suis là que pour divertir, comme Jim-Jam Briskin, ce bouffon d'infoclown que le président Fischer a fait boucler.

— Vous avez peur de la prison ? contra Hada sans ménagement.

— Le président Fischer n'a rien à me reprocher, dit Rags. Je ne fais pas dans la chanson contestataire.

— Si vous travaillez pour moi, dit Hada, vous en écrirez peut-être. J'essaie de tirer Jim-Jam de prison ; aujourd'hui, j'ai engagé toutes mes stations dans ce sens.

— En effet, il devrait être libre, approuva Rags. C'était moche, de la part de Fischer, de recourir au F.B.I.

pour ça... Ces extraterrestres ne sont pas une telle menace. »

Kaminsky, qui se frottait le menton d'un air pensif, déclara : « Faites-en une sur Jim-Jam Briskin, Max Fischer, les extraterrestres, le contexte politique dans son ensemble. Résumez tout ça.

— C'est beaucoup demander, dit Rags avec un sourire à la fois ironique et amer.

— Essayez donc, dit Kaminsky. Voyons un peu votre analyse.

— Hou là, fit Rags. Une *analyse*. On voit bien que vous êtes de CULTURE. Bon, alors que pensez-vous de ça ?

*À cause d'un petit président nommé Max*
*Jim-Jam est en prison et il va prendre un max.*
*Mais c'vautour de Hada a bien vu l'ouverture :*
*C'est le moment pour lui de fair'donner* CULTURE

— Vous êtes engagé », dit Hada au chanteur folk en cherchant un formulaire de contrat dans sa poche.

Kaminsky demanda : « Est-ce que ça va marcher, Mr. Park ? Parlez-nous des conséquences.

— Je... euh, je préfère pas, dit Rags. En tout cas, pas là, tout de suite. Vous pensez que je peux *aussi* lire l'avenir ? Précog en plus d'être télépathe ? » Il rit doucement. « À vous entendre, j'ai beaucoup de talents ; je suis flatté. » Il s'inclina ironiquement.

« Je pars du principe que vous venez travailler chez nous, dit Hada. Mais si vous y êtes si disposé, est-ce parce que, d'après vous, le président Fischer ne pourra rien contre nous ?

— Oh ! nous pouvons nous retrouver en prison nous aussi, murmura Rags. Ça ne me surprendrait pas outre mesure. » Il s'assit sans lâcher son banjo afin de signer son contrat.

Le président Max Fischer regardait la télé depuis presque une heure dans sa chambre de la Maison-Blanche ; CULTURE matraquait inlassablement le même message : *Jim Briskin doit être remis en liberté,* disait la voix lisse, professionnelle, du présentateur. Mais derrière cette voix, implicite, Max le savait, s'exprimait celle de Sebastian Hada.

« Monsieur mon ministre de la Justice, dit Max à son cousin Leon Lait, trouve-moi les dossiers de toutes les épouses de Hada, il y en a sept ou huit, je ne sais plus. J'ai l'impression qu'il va falloir employer les grands moyens. »

Une fois les huit dossiers déposés devant lui un peu plus tard dans la journée, il s'y plongea avec attention en mâchouillant son cigare El Producto ; les sourcils froncés, il formait des mots muets tant il s'appliquait à comprendre les données complexes et détaillées.

*Ça alors,* songea-t-il. *Ces bonnes femmes sont dans un état ! C'est une psychothérapie médicamenteuse qu'il leur faut, histoire de se remettre le métabolisme cérébral d'aplomb.* Toutefois, il n'était pas mécontent ; il avait bien eu l'intuition que ce Sebastian Hada attirait des femmes instables.

L'une d'elles, la quatrième, l'intéressait particulièrement. Zoé Martin Hada, trente et un ans, qui vivait à présent sur Io avec son fils âgé de dix ans.

Zoé Hada présentait d'indéniables caractéristiques psychotiques.

« Monsieur mon ministre de la Justice, dit-il encore à son cousin. Cette personne vit grâce aux prestations du ministère de la Santé mentale. Hada ne lui verse pas un sou. Fais-la venir à la Maison-Blanche, vu ? J'ai du boulot pour elle. »

Le lendemain matin, on fit entrer Zoé Hada dans son bureau.

Il découvrit alors, entre deux agents du F.B.I., une jeune femme efflanquée, attirante malgré son regard farouche et plein d'animosité. « Bonjour, Mrs. Zoé Hada, dit Max. Voilà : je sais des choses sur vous ; vous êtes la seule vraie Mrs. Hada ; les autres sont des usurpatrices, n'est-ce pas ? Et Sebastian vous a fait des crasses. » Il vit bientôt son expression changer.

« C'est exact, déclara Zoé. Je le poursuis depuis six ans devant les tribunaux afin de le prouver. Je n'en crois pas mes oreilles ; vous allez vraiment m'aider ?

— Mais oui. Seulement, il faut suivre mes instructions ; vous savez, si vous attendez que cette crapule d'Hada change, vous perdez votre temps. Tout ce que vous pouvez espérer... » Une pause. « C'est égaliser le score. »

L'expression de Zoé, d'où toute violence avait momentanément disparu, se contracta à nouveau sous l'effet de la haine à mesure qu'elle comprenait où il voulait en venir.

Les sourcils froncés, le Dr. Ito Yasumi déclara : « J'ai fini, Hada. » Il entreprit de ranger ses cartes. « Ce Rags Park être ni télépathe ni précog ; lui ni lire les pensées ni connaître l'avenir et franchement, Hada, même moi toujours pressentir pouvoirs psi en lui, moi pas savoir lequel. »

Hada écouta en silence. À ce moment-là, Rags Park — qui cette fois avait la guitare à l'épaule — revint de la pièce voisine. Il semblait trouver amusant que Yasumi n'ait rien pu tirer de lui ; il leur sourit et s'assit. « Je suis une énigme, dit-il à Hada. En m'embauchant, vous en avez eu soit trop pour votre argent, soit au contraire trop peu... mais vous ne savez pas lequel des deux, et le Dr. Yasumi non plus ; ni moi, d'ailleurs.

— Je veux que vous commenciez tout de suite sur CULTURE, lui dit impatiemment Hada. Composez et chantez des ballades folk décrivant l'emprisonnement et les persécutions injustes dont est victime Jim-Jam à l'instigation de Leon Lait et son F.B.I. Présentez Lait comme un monstre ; et Fischer comme un crétin cupide et calculateur. Compris ?

— Compris, opina Rags Park. Il faut alerter l'opinion publique. Je le savais en signant ; je ne suis plus seulement dans le divertissement. »

Yasumi dit à Rags : « Écoutez, j'ai un service à vous demander. Composez donc une ballade folk racontant comment Jim-Jam est sorti de prison. »

Hada et Rags Park le regardèrent.

« Une ballade qui ne rapporte pas ce qui existe déjà, expliqua Yasumi, mais ce que nous voulons voir exister. »

Haussant les épaules, Park fit : « O.K. »

La porte du bureau d'Hada s'ouvrit à la volée et, tout excité, le chef de ses gardes du corps, Dieter Saxton, passa la tête à l'intérieur. « Mr. Hada, nous venons d'abattre une femme qui tentait d'arriver jusqu'à vous avec une bombe de fabrication artisanale. Avez-vous un instant pour l'identifier ? Nous pensons que c'est peut-être — enfin, *c'était* — une de vos épouses.

— Dieu du ciel », fit Hada, qui se rua dans le couloir à la suite de Saxton.

Devant l'entrée principale du domaine gisait une femme qu'il connaissait en effet. *Zoé*, se dit-il. Il s'agenouilla et l'effleura.

« Désolé, bredouilla Saxton. Nous n'avions pas le choix.

— Très bien, répondit-il. Si vous le dites, je vous crois. » Il avait la plus grande confiance en Saxton ; de toute façon, il y était bien obligé.

« À partir de maintenant, dit Saxton, l'un d'entre nous devra se tenir en permanence à vos côtés. C'est-à-dire pas devant la porte de votre bureau, mais littéralement à côté de vous.

— Je me demande si c'est Max Fischer qui l'a envoyée, observa Hada.

— Il y a de fortes chances, affirma Saxton. J'en mettrais ma main à couper.

— Rien que parce que je veux faire relâcher Jim-Jam Briskin. » Hada était sérieusement secoué. « Je n'en reviens pas. » Il se releva en vacillant.

« Laissez-moi m'occuper de Fischer, insista Saxton. Pour assurer votre protection. Il n'a aucun droit d'être président ; c'est Unicéphalon 40-D notre seul président légal et nous savons tous que Fischer lui a soustrait le pouvoir.

— Non, murmura Hada. Je n'aime pas l'idée de meurtre.

— Il ne s'agit pas de meurtre, dit Saxton, mais de garantir votre sécurité et celle de vos épouses ainsi que de vos enfants.

— Peut-être, dit Hada, mais j'en reste incapable. En tout cas pour l'instant. » Il se dirigea péniblement vers son bureau, où l'attendaient toujours Rags Park et le Dr. Yasumi.

« Nous avons appris ce qui s'est passé, lui dit ce dernier. Tenez bon, Hada. Cette femme était une schizophrène paranoïaque affligée d'un complexe de persécution ; sans psychothérapie, il était inévitable qu'elle meure de mort violente. Ni vous ni Saxton n'êtes responsables. »

Hada soupira : « Dire qu'à une époque j'ai aimé cette femme... »

Grattant sa guitare d'un air mélancolique, Rags Park chantait tout seul dans son coin ; les paroles n'étaient pas audibles. Peut-être ébauchait-il sa ballade sur l'évasion de Jim-Jam Briskin.

« Suivez le conseil de Saxton, dit Yasumi. Protégez-vous en permanence. » Il tapota l'épaule d'Hada.

Rags intervint : « Mr. Hada, je crois que je tiens ma chanson. Vous savez, celle sur...

— Je n'ai pas envie de l'entendre, coupa durement Hada. Pas maintenant. » Il n'avait qu'une envie : être seul.

*Peut-être devrais-je répliquer,* se dit-il. *Yasumi me le conseille ; et maintenant c'est au tour de Dieter Saxton. Que me conseillerait Jim-Jam ? Il a la tête sur les épaules, lui... Il me dirait : Ne recourez pas au meurtre. Je le sais ; je le connais.*

*Et s'il dit de ne pas le faire, je ne le ferai pas.*

Le Dr. Yasumi donnait ses instructions à Rags. « Une ballade, s'il vous plaît, à propos de ce vase de glaïeuls, là, sur la bibliothèque. Racontez qu'il s'élève dans les airs et y reste en suspens, d'accord ?

— Qu'est-ce que *vous* me chantez là ? fit Rags. De toute façon, j'ai un boulot à faire ; vous avez entendu ce que Mr. Hada a dit.

— Mais moi je continue de vous tester », grommela le Dr. Yasumi.

S'adressant à son cousin le ministre de la Justice, Max Fischer déclara d'une voix dégoûtée : « Bon, on ne l'a pas eu.

— Non, Max, admit Leon Lait. Il emploie des gens compétents ; ce n'est pas un individu isolé comme Briskin, c'est toute une entreprise. »

Maussade, Max dit : « Une fois, j'ai lu un livre qui disait que lorsque trois personnes se livrent concurrence, il y en a toujours deux qui finissent par s'unir contre la troisième. C'est inévitable. Et c'est exactement ce qui s'est passé ; maintenant Hada et Briskin sont copains et moi je suis seul. Il faut que nous les séparions, Leon, et que nous en amenions un dans notre camp. Briskin m'aimait bien, autrefois. Seulement, il désapprouvait mes méthodes.

— Attends qu'il apprenne que Zoé Hada a voulu tuer son ex-mari, rétorqua Leon. C'est là qu'il va te désapprouver pour de bon.

— Tu crois qu'il est trop tard pour se le rallier ?

— Ça oui, Max. Ta situation vis-à-vis de lui est pire que jamais. Il ne faut plus espérer le gagner à ta cause.

— J'ai malgré tout une idée qui me trotte dans la tête. Ce n'est pas encore très précis, mais il s'agirait de libérer Jim-Jam dans l'espoir qu'il en éprouverait de la gratitude.

— Tu as perdu la tête, observa Leon. Comment as-tu pu avoir une idée pareille ? Ça ne te ressemble pas.

— Je ne sais pas, gémit Max. En tout cas elle est là. »

Rags Park lança à Sebastian Hada : « Euh, je crois que j'l'ai trouvée cette ballade. Sur l'idée du Dr. Yasumi. Ça raconte comment Jim-Jam sort de prison. Vous voulez l'entendre ? »

Distrait, Hada acquiesça. « Allez-y. » Après tout, il le payait, ce chanteur folk ; autant en avoir pour son argent.

Rags enchaîna quelques accords et chanta :

*« Jim-Jam Briskin croupissait en prison,*
*Trouvait personn'pour payer sa caution.*
*C'est la faute à Fischer ! C'est la faute à Fischer ! »*

Rags expliqua : « C'est le refrain. « C'est la faute à Fischer ! » Vous voyez ?

— Très bien », dit Hada en opinant.

*« Le Seigneur vint lui dire : Max, je suis pas content.*
*Mettr'cet homme en prison, c'était vraiment méchant.*
*Maudit sois-tu, Fischer ! hurla le Tout-Puissant.*
*Ah ! pauvre Jim Briskin, qui n'a plus aucun droit.*
*Maudit sois-tu, Fischer ! Je te le dis, crois-moi :*
*À continuer ainsi, en enfer tu iras.*
*Max Fischer, repens-toi ! Il n'y a qu'un'solution :*
*Mets-toi bien avec moi et sors Jim de prison. »*

Rags expliqua à Hada : « Et maintenant voilà ce qui va se passer. » Il s'éclaircit la gorge :

*« Le méchant Max Fischer vit un jour la lumière,*
*Il dit à Leon Lait : Allez, fini la guerre,*
*Il ordonna enfin que l'on ouvre la porte*
*Et que de sa cellule l'ami Jim-Jam ressorte.*
*Celui-ci vit alors la fin de ses misères,*
*Et du fond d'son cachot aperçoit la lumière.*

« C'est tout, l'informa Rags. C'est le genre de ballade où on chante en chœur, un *spiritual* où on tape du pied. Ça vous plaît ? »

Hada parvint à acquiescer. « Mais oui, mais oui. Ça ira très bien.

— Dois-je dire à Mr. Kaminsky de la diffuser sur CULTURE ?

— Allez-y, diffusez », répondit Hada. Il s'en moquait éperdument ; la mort de Zoé lui pesait encore — il se sentait responsable : c'étaient quand même ses gardes du corps qui l'avaient abattue ; qu'elle ait ou non été démente, qu'elle ait ou non essayé de l'anéantir, cela ne changerait rien à l'affaire. Cela restait une vie humaine perdue ; cela restait un meurtre. « Écoutez, dit-il à Rags sur une impulsion, je veux que vous composiez une *autre* ballade. »

Rags déclara avec compassion : « Je sais, Mr. Hada. Sur le triste décès de votre ex-femme Zoé. J'y ai réfléchi ; j'ai une ballade toute prête. Écoutez :

*Il était une fois une dame idéale,*
*Qui errait, pur esprit, dans le champ des étoiles,*
*Et qui, dans son chagrin, pardonnait à celui*
*Dont on disait qu'il lui avait ôté la vie.*
*Car le vil assassin, loin d'être son mari,*
*Était ce Max Fischer qui d'elle faisait fi...* »

Hada l'interrompit. « Ne me blanchissez pas, Rags ; c'est moi qui suis coupable. Ne mettez pas tout sur le dos de Max comme si c'était le bouc émissaire. »

Yasumi, qui jusque-là était resté sans rien dire dans un coin de son cabinet, prit alors la parole. « D'autre part, Fischer avoir trop importance dans vos ballades, Rags. Dans celle sur la libération de Jim-Jam, vous mettre tout sur le compte de changement d'attitude éthique chez Max Fischer. Ça ne va pas. Le mérite devoir revenir entier à Hada. Écoutez, Rags ; j'ai composé un poème pour l'occasion. »

Le Dr. Yasumi déclama :

*« L'infoclown n'moisit plus en prison,*
*Seb Hada l'a fait libérer.*
*Il a en lui un grand ami,*
*Sur qui compter quoi qu'il arrive.*

« Pile trente-deux syllabes, expliqua Yasumi, modeste. Les poèmes à l'ancienne façon haïku n'ont pas besoin de rimer comme les ballades américaines types mais doivent aller droit au but, ce qui en l'occurrence est primordial. » Il reprit à l'intention de Rags : « De mon haïku, faites une ballade, d'accord ? Dans votre style à vous, en couplets rythmés, rimés, et ainsi de suite.

— Personnellement, j'ai compté trente-trois syllabes, contra Rags. Mais de toute manière, je suis un créateur, moi ; je n'ai pas l'habitude qu'on me dise ce que je dois composer. » Il se tourna vers Hada. « Pour qui est-ce que je travaille, pour vous ou pour lui ? Pas pour lui, à ma connaissance.

— Faites ce qu'il vous demande, lui répondit Hada. C'est un homme brillant. »

Rags maugréa : « O.K., mais je ne m'attendais pas à ce genre de boulot quand j'ai signé votre contrat. » Il se retira dans un coin du cabinet pour ruminer, réfléchir et composer.

« Dans quoi nous embarquez-vous là, docteur ? demanda Hada.

— Nous verrons, fit le Dr. Yasumi, mystérieux. Une théorie à moi sur les pouvoirs psi de ce faiseur de ballades. Peut payer, mais peut-être pas.

— Vous semblez attacher une grande importance à la formulation exacte de ces ballades.

— C'est exact, acquiesça Yasumi. Comme dans un document légal. Vous verrez, Hada ; vous verrez si moi avoir raison, finalement. Si moi me tromper, pas d'importance de toute façon. » Il lui fit un sourire d'encouragement.

Le téléphone sonna dans le bureau du président Max Fischer. C'était le ministre de la Justice, son cousin, manifestement en proie à une grande agitation. « Max, je suis allé au pénitencier fédéral où se trouve Jim-Jam, voir si on pouvait lever les charges qui pèsent contre lui, comme tu disais... » Leon hésita. « Il n'y est plus, Max. » Leon semblait d'une nervosité extrême.

« Comment est-il sorti ? demanda Max, plus stupéfait que fâché.

— C'est Art Heaviside, l'avocat de Hada, qui a trouvé un moyen ; je ne sais pas encore lequel — je dois voir le juge de district, Dale Winthrop ; il a signé un ordre de remise en liberté il y a une heure. J'ai rendez-vous avec lui... Dès que je l'aurai vu, je te rappellerai.

— Ça alors, dit lentement Max. Nous nous y sommes pris trop tard. » Il raccrocha, songeur, puis resta un bon moment plongé dans ses pensées. *En quoi peut-il bien servir les intérêts de Hada ?* se demanda-t-il. *Il y a quelque chose qui m'échappe.*

*Maintenant il faut s'attendre à voir apparaître Jim Briskin à la télé,* conclut-il. *Sur le réseau* CULTURE.

Soulagé, ce ne fut pas lui qu'il vit alors sur l'écran, mais un chanteur folk s'accompagnant d'un banjo.

Là-dessus, il s'aperçut que le chanteur parlait de *lui*.

*Le méchant Max Fischer vit un jour la lumière,*
*Il dit à Leon Lait : Allez, fini la guerre.*
*Il ordonna enfin que l'on ouvre la porte.*

Attentif, Max Fischer fit à haute voix : « Bon Dieu, c'est exactement ce qui s'est passé ! Exactement ce que j'ai fait ! » *Troublant, ça*, pensa-t-il. *Qu'est-ce que ça signifie, ce faiseur de ballades qui raconte mes agissements en chansons, sur* CULTURE, *alors qu'il s'agit d'affaires top secrètes dont il n'est pas censé avoir connaissance !*

*Un télépathe, peut-être*, se dit Max. *Oui, ça doit être ça.*

À présent le chanteur folk vantait en grattouillant la façon dont Hada avait personnellement fait libérer Jim-Jam. *Et c'est la vérité*, songea Max. *Quand Leon s'est rendu au pénitencier, l'oiseau s'était envolé grâce aux manigances d'Art Heaviside... J'ai intérêt à écouter attentivement ce chanteur : pour une raison que j'ignore, il semble en savoir plus que moi.*

Mais le chanteur avait terminé.

Le présentateur de CULTURE disait à présent : « Vous avez entendu un bref interlude de ballades contestataires exécutées par le chanteur de renommée mondiale Ragland Park. Mr. Park, vous serez heureux de l'apprendre, interviendra sur ce canal toutes les heures durant cinq minutes avec des ballades inédites, composées spécialement, ici, dans les studios de CULTURE. Mr. Park va surveiller les téléscripteurs et écrira en fonction de... »

Max éteignit aussitôt le poste.

*Des ballades inédites. Bon sang*, songea-t-il, atterré. *Et si Park se mettait à évoquer la réapparition d'Unicéphalon 40-D ?*

*J'ai comme l'impression que ce que chante Ragland Park se concrétise. On a affaire à un de ces fameux talents psioniques.*

*Et les autres, mes opposants, ont décidé de s'en servir.*

*D'un autre côté, je dois avoir moi-même quelque*

*talent psionique. Sinon, je n'aurais pas fait autant de chemin.*

Assis devant le poste, il ralluma et attendit en se mordillant la lèvre inférieure. Que faire ? Pour l'instant, il ne voyait pas. *Mais ça viendra,* se dit-il. *Et avant qu'ils n'aient l'idée de ramener Unicéphalon 40-D...*

Le Dr. Yasumi déclara : « Moi résolu problème de savoir quel être talent psi de Ragland Park, Hada. Ça intéresser vous ?

— Ce qui m'intéresse, c'est que Jim-Jam soit sorti de prison », répondit l'autre. Il raccrocha, quasi incapable d'en croire ses oreilles. « Il arrive d'un instant à l'autre, dit-il au Dr. Yasumi. Il vient directement, par monorail. Nous allons l'envoyer sur Callisto, où Max n'aura pas le pouvoir de le réarrêter. » Mille plans s'échafaudaient dans sa tête. Il se frotta les mains et débita à toute allure : « Jim-Jam peut émettre depuis notre station de Callisto. Et il peut s'y installer dans mon domaine — une vraie sinécure, pour lui ; il sera d'accord, je le sais.

— S'il être libre, dit sèchement le Dr. Yasumi, c'est grâce au talent psi de Rags, alors vous faire mieux m'écouter. Parce que ce talent pas être compris de Rags lui-même, et franchement, ça pouvoir vous revenir en pleine figure n'importe quand. »

À contrecœur, Hada répondit : « D'accord, donnez-moi votre opinion.

— Relation entre ballades fabriquées par Rags et réalité être relation de cause à effet. Ce que Rags décrire avoir lieu ensuite. La ballade précéder l'événement, et pas de beaucoup. Vous voyez ? Ça pourrait être dangereux si Rags comprendre et en faire usage pour avantage personnel.

— Si ce que vous dites est vrai, enchaîna Hada, il faut qu'il nous compose une ballade sur le retour en activité d'Unicéphalon 40-D. » Cela lui sautait aux yeux. Max Fischer redeviendrait simple président suppléant, sans la moindre autorité.

« Exact, concéda Yasumi. Mais problème être qu'avec les ballades contestataires que lui composer maintenant, Ragland Park être susceptible de s'en rendre compte aussi. Car si lui compose chanson sur Unicéphalon et qu'ensuite, dans la réalité...

— Vous avez raison. Ça ne peut pas lui échapper. » Hada se plongea dans ses réflexions. Ragland Park pouvait se révéler encore plus dangereux que Max Fischer. D'un autre côté, il avait plutôt l'air d'un brave type ; on n'avait aucune raison de supposer qu'il ferait mauvais usage de son pouvoir, comme Max Fischer.

Mais ça faisait quand même beaucoup de pouvoir entre les mains d'un seul homme. Beaucoup trop de pouvoir.

« Nous devoir veiller au genre de ballades que Ragland écrire, conclut le Dr. Yasumi. Contenu devoir être précisé à l'avance, peut-être par vous.

— Il faut qu'il y ait le moins possible de... », commença Hada, qui fut alors interrompu par la sonnerie de l'intercom. La réception l'appelait.

« Mr. James Briskin est ici.

— Faites entrer, dit Hada, ravi. Il est déjà arrivé, Ito ! » Hada ouvrit la porte du bureau... et découvrit Jim-Jam, l'air grave et les traits tirés.

« C'est Mr. Hada qui vous a fait sortir, l'informa le Dr. Yasumi.

— Je sais. Je vous en suis reconnaissant, Hada. » Briskin entra et Hada verrouilla aussitôt la porte.

« Écoutez, Jim-Jam, dit-il sans préambule. Nous

n'avons jamais été dans un tel pétrin. Max Fischer ne représente plus une menace. Nous avons désormais affaire à une forme ultime de pouvoir, absolue et non plus relative. Je regrette bien de m'être fourré dans ce guêpier ; qui a eu l'idée d'engager Rags Park ? »

Le Dr. Yasumi intervint : « Vous, Hada — et je vous avais prévenu.

— Il faut empêcher Rags de composer, décida Hada. C'est la première mesure à prendre. Je vais appeler le studio. Il pourrait aussi bien raconter que nous plongeons au fin fond de l'Atlantique, ou nous expédier à vingt u.a. dans l'espace profond.

— Éviter panique, dit fermement Yasumi. Panique vous faire tirer conclusions hâtives, Hada. Vous vous emballez, comme toujours. Calmez-vous et réfléchissez.

— Comment voulez-vous que je me calme alors que ce bouseux a le pouvoir de nous manipuler comme des jouets ? Enfin quoi, il tient l'univers entier en son pouvoir.

— Pas nécessairement, objecta Yasumi. Ce pouvoir a peut-être limites. Encore aujourd'hui, pouvoir psi pas bien compris. Difficile à tester en laboratoire ; difficile à soumettre à examen rigoureux, reproductible. » Il réfléchit.

Jim Briskin déclara : « Si je comprends ce que vous dites...

— Vous avez été tiré de prison par une ballade sur mesure, lui dit Hada. Écrite à ma demande. Ça a marché, mais maintenant, nous voilà avec le chanteur sur les bras. » Il marchait de long en large, les mains dans les poches.

*Que faire de Ragland Park ?* se demandait-il sans cesse.

Dans les studios principaux de CULTURE, sur le satellite terrien Culone, entouré de son banjo et de sa guitare, Ragland Park étudiait les dépêches-télétype en préparant des ballades pour sa prochaine intervention.

Jim-Jam Briskin, lut-il, avait été libéré de prison sur ordre d'un juge fédéral. Satisfait, Ragland envisagea une ballade sur ce thème, puis se souvint qu'il en avait déjà composé — et chanté — plusieurs. Ce qu'il lui fallait, c'était un sujet inédit. Celui-là, il l'avait usé jusqu'à la corde.

La voix de Nat Kaminsky, qui se trouvait à la régie, tonna dans le haut-parleur. « Prêt à repasser à l'antenne, Mr. Park ?

— Pas de problème ! » acquiesça Ragland. En réalité, il lui fallait encore un petit moment.

*Et si,* réfléchit-il, *je faisais une ballade sur un certain Pete Robinson, de Chicago, dont l'épagneul s'est fait attaquer en plein jour et en pleine rue par un aigle enragé ?*

*Non, ce n'est pas assez politique,* conclut-il.

*Ou alors, une chanson sur la fin du monde ? Une comète heurte la Terre, ou alors les extraterrestres débarquent par milliers et s'emparent du pouvoir... Une ballade effrayante, avec des gens qui explosent et qui se font couper en deux par des pistolets à rayon laser ?*

Mais ce n'était pas assez intellectuel pour CULTURE ; ça n'irait pas non plus.

*Bon,* se dit-il, *alors une chanson sur le F.B.I. Je n'en ai encore jamais fait ; les hommes de Leon Lait, avec leurs complets gris et leur cou de taureau... Des diplômés de l'université portant mallette...*

Pour lui-même, il chanta en grattant sa guitare :

*Le grand chef a dit : À vos marques !*
*Allez me chercher Ragland Park.*
*Menace pour la conformité,*
*Ses crim's sont une énormité.*

Ragland gloussa et se demanda comment poursuivre. Une ballade sur lui-même... Intéressant, ça. Comment l'idée lui était-elle venue ?

Tout à sa ballade, il ne remarqua pas les trois hommes à cou de taureau et complet gris qui venaient vers lui, chacun tenant une mallette montrant bien qu'il était diplômé de l'université et qu'il avait l'habitude de la porter.

*Là, j'en tiens une vraiment bonne,* se dit Ragland. *La meilleure de ma carrière.* Grattant sa guitare, il poursuivit :

*« Ils s'sont faufilés dans le noir*
*Et lui ont tiré en plein'poire.*
*Un cri de liberté s'est tu*
*Quand Park a été abattu ;*
*Mais un tel crime ne s'oublie,*
*Mêm'dans une cultur'pourrie. »*

Ragland ne put aller plus loin. Le chef des agents abaissa son arme encore fumante, fit un signe de tête à ses acolytes, puis parla dans son émetteur-bracelet. « Informez Mr. Lait que nous avons réussi. »

Une voix grêle lui répondit par le même canal : « Bien. Regagnez immédiatement le Q.G. Tels sont *ses* ordres. »

Le donneur d'ordres était bien évidemment Maximilian Fischer. Les hommes du F.B.I. savaient parfaitement qui les avait envoyés en mission.

Dans son bureau de la Maison-Blanche, Maximilian Fischer poussa un soupir de soulagement quand il fut informé de l'élimination de Ragland Park. *On l'a échappé belle,* se dit-il. *Ce type aurait pu signer mon arrêt de mort, et celui du reste du monde.*

*Étonnant,* se dit-il encore, *qu'ils aient pu l'avoir. La chance a certainement joué en notre faveur. Je me demande pourquoi.*

*Entre autres, j'ai peut-être un talent psionique consistant à éliminer les chanteurs folk,* songea-t-il, plein d'une suave satisfaction.

*Ou plus précisément à les inciter à composer des ballades sur le thème de leur propre élimination...*

Et maintenant, comprit-il, reste le véritable problème : renvoyer Jim Briskin en prison. Et ce ne sera pas facile ; Hada aura probablement l'intelligence de le transférer sans attendre sur une lointaine lune où je n'ai aucune autorité. C'est un long combat qui va m'opposer à ces deux-là... Et je n'en sortirai pas forcément gagnant.

Il soupira. *Rude labeur en perspective*, se dit-il. *Mais je n'y couperai pas.* Il décrocha le téléphone et composa le numéro de Leon Lait...

*Un numéro inédit*

*Titre original :*
NOVELTY ACT

Malgré l'heure tardive, les lumières continuaient à briller dans le grand immeuble communautaire Abraham Lincoln, car c'était le soir de la Toussaint : conformément aux statuts, les six cents résidents devaient être présents dans la salle commune souterraine. Ils y entraient un par un, sans perdre de temps, hommes, femmes et enfants ; à la porte, manipulant le nouveau lecteur d'identité — un appareil plutôt onéreux —, Bruce Corley s'assurait qu'aucun individu en provenance d'un autre immeuble communautaire n'essayait de se faufiler. Les résidents se soumettaient sans rechigner et tout allait très vite.

« Hé, Bruce, combien va falloir cracher pour ça ? » demanda le vieux Joe Purd, le plus ancien résident de l'immeuble — il y avait emménagé avec sa femme et ses deux enfants en mai 1980, jour de l'inauguration. Sa femme était maintenant décédée, les enfants avaient grandi, ils s'étaient mariés et envolés, mais Joe était resté.

« Un paquet, dit Bruce Corley, mais c'est infaillible ; je veux dire que ça ne repose pas uniquement sur la subjectivité. » Jusqu'à présent, en tant que sergent à titre permanent, il admettait les gens en ne se fiant qu'à sa mémoire. Résultat : il avait fini par laisser entrer deux imbéciles de Red Robin Hill Manor qui avaient perturbé toute la réunion avec leurs questions et leurs commentaires. Mais cela ne se reproduirait plus.

Tout sourire, Mrs. Wells faisait circuler l'ordre du jour en psalmodiant : « L'article 3 a, Crédits pour les réparations du toit, a été déplacé en 4 a. Veuillez noter, s'il vous plaît. » Ensuite les résidents se répartissaient de part et d'autre de la salle ; la faction libérale s'asseyait à droite et les conservateurs à gauche, chacun mettant un point d'honneur à ignorer l'existence de la partie adverse. Quelques indépendants — des nouveaux résidents, ou bien des excentriques — prenaient place au fond, timides et silencieux, tandis que dans la salle bourdonnaient mille mini-conférences. Le ton, l'humeur étaient à la tolérance, mais les résidents savaient qu'on allait vers un accrochage. Les deux camps avaient l'air d'y être préparés. Çà et là bruissaient des documents, des pétitions, des coupures de presse qu'on lisait, qu'on échangeait ou qu'on faisait circuler.

Sur l'estrade, attablé en compagnie des quatre administrateurs de l'immeuble, le président Donald Klugman avait l'estomac noué. De nature pacifique, il se ratatinait au spectacle de ces querelles. Même dans l'assistance il se sentait dépassé ; et voilà que ce soir il devait jouer un rôle actif ; son tour était venu d'occuper le fauteuil, comme c'était le cas un jour ou l'autre pour chaque résident ; et il fallait justement que ce soit le soir où le débat sur l'école atteignait son point culminant !

La salle était presque comble ; l'air plutôt malheureux dans sa longue toge blanche, Patrick Doyle, actuel aumônier de l'immeuble, levait les bras pour réclamer le silence. « La prière inaugurale », lança-t-il d'une voix enrouée. Il s'éclaircit la gorge et brandit un petit carton. « Veuillez fermer les yeux et incliner la tête. » Il jeta un coup d'œil à Klugman et aux administrateurs ; d'un signe de tête, le président l'invita à poursuivre. « Père céleste, commença Doyle, nous, résidents de l'immeuble communautaire Abraham Lincoln, Vous implorons de bénir la présente assemblée. Euh, nous sollicitons de Votre miséricorde que Vous nous permettiez de rassembler les fonds nécessaires à la réparation du toit, qui est urgente. Nous demandons que nos malades guérissent, que nos sans-emploi trouvent du travail et que nous fassions preuve de sagesse en traitant les demandes d'entrée dans la communauté. Nous demandons aussi que nul étranger ne vienne perturber nos vies ordonnées et respectueuses des lois, et nous demandons en particulier, si telle est Votre volonté, que Nicole Thibodeaux soit enfin débarrassée de sa sinusite et des migraines qui l'ont empêchée d'apparaître à la télévision ces derniers temps ; que ces migraines n'aient rien à voir avec ce qui est arrivé il y a deux ans — nous nous souvenons tous du machiniste qui lui avait laissé tomber un poids sur la tête, l'envoyant à l'hôpital pour plusieurs jours. Quoi qu'il en soit, amen.

— Amen », reprit l'assistance.

Se levant de son fauteuil, Klugman déclara : « Et maintenant, avant que nous n'abordions l'ordre du jour, nos talents locaux vont nous offrir quelques minutes de divertissement. D'abord, les trois filles Fettersmoller, de l'appartement 205, vont exécuter un numéro de danse en chaussons sur l'air de “Je construirai un escalier jusqu'aux étoiles”. » Il se rassit et les trois blondinettes, bien connues de l'assistance depuis le temps qu'on lui infligeait leurs exhibitions, entrèrent en scène.

Tandis que, pantalons rayés et vestes argentées, les sœurs Fettersmoller effectuaient plus ou moins laborieusement leurs pas sans se départir de leur sourire, la porte du fond s'ouvrit et un retardataire, Edgar Stone, fit son apparition.

C'était en corrigeant le « contrôle » de son voisin de palier qu'il s'était mis en retard. Debout dans l'encadrement de la porte, il continuait de penser à la piètre performance de ce Ian Duncan qu'il connaissait à peine. Il s'était vite rendu compte que l'homme avait échoué.

Sur l'estrade, les petites Fettersmoller chantaient de leurs voix de crécelles, et Stone se demanda pourquoi il était venu. Peut-être, tout simplement, pour éviter l'amende, la présence des résidents étant obligatoire ce soir-là. Ces éternels numéros d'amateurs le laissaient indifférent ; il se rappelait le bon vieux temps où la télé proposait des divertissements, des spectacles de qualité donnés par des professionnels. Maintenant, dès qu'ils avaient quelque valeur, ceux-ci étaient sous contrat avec la Maison-Blanche et la télé était devenue éducative, pas distrayante pour un sou. Stone songea aux grands films d'autrefois, aux Jack Lemmon, aux Shirley McLaine... il regarda de nouveau les sœurs Fettersmoller et laissa échapper un grognement.

Corley, qui l'avait entendu, lui jeta un regard sévère.

Enfin, il avait manqué la prière, c'était déjà ça. Il présenta sa pièce d'identité à la nouvelle machine de Corley, qui l'autorisa à s'engager dans l'allée centrale pour trouver un siège. Est-ce que Nicole regardait, ce soir ? Y avait-il un chasseur de talents de la Maison-Blanche dans l'assistance ? Il ne vit aucun visage inconnu. Les petites Fettersmoller perdaient leur temps. Il s'assit et ferma les yeux, incapable de supporter ce spectacle. Elles n'y arriveront jamais, se dit-il. Il faudra bien qu'elles se fassent une raison, et leurs ambitieux de parents aussi ; elles n'ont pas plus de talent que le reste d'entre nous... La résidence Abraham Lincoln n'a pas apporté grand-chose au patrimoine culturel de la nation, malgré tous nos efforts, toute notre détermination, et ce n'est pas vous qui allez y changer quelque chose.

La situation désespérée des petites Fettersmoller lui rappela une fois de plus le contrôle que Ian Duncan, tremblant et le teint cireux, lui avait fourré dans les mains tôt ce matin-là. Si Duncan échouait, il risquait beaucoup plus gros que les sœurs Fettersmoller : il n'habiterait même plus à Abraham Lincoln ; il disparaîtrait de la circulation — de leur point de vue, en tout cas — pour rétrograder vers le statut méprisé d'habitant de dortoir ; il réintégrerait une équipe de manuels, comme ils avaient tous dû le faire dans leur adolescence.

Bien sûr, on lui rembourserait la grosse somme versée pour son appartement — unique investissement majeur de toute une existence. D'un côté, Stone l'enviait. Qu'est-ce que je ferais, se demanda-t-il, les yeux toujours clos, si je récupérais ma mise à l'instant même, d'un seul coup ? Peut-être que j'émigrerais. J'achèterais un de ces vieux tacots illégaux bradés dans ces parcs qui...

Les applaudissements le tirèrent de sa torpeur. Les fillettes avaient terminé ; il se joignit au chœur. Sur l'estrade, Klugman réclama le silence d'un geste. « Très bien, mes amis, je sais que vous avez apprécié ce numéro, mais nous en avons encore beaucoup d'autres en réserve. Et puis il y a l'objet principal de la réunion, ne l'oublions pas. » Il se fendit d'un grand sourire.

Oui, se dit Stone. L'affaire du jour. Il se sentit envahi par une certaine tension : il faisait partie des radicaux désirant supprimer l'école primaire de l'immeuble et envoyer les enfants à l'école publique, où ils seraient au contact d'enfants originaires d'autres immeubles.

Le genre d'idée qui soulevait de vives protestations. Pourtant, ces dernières semaines elle s'était attiré des partisans. Quelle ouverture représenterait l'expérience ! Les enfants verraient que les habitants des autres immeubles n'étaient pas si différents d'eux, les barrières entre résidents seraient abattues, une nouvelle compréhension s'instaurerait.

Du moins était-ce ainsi que Stone voyait les choses, mais les conservateurs ne partageaient pas ce point de vue. Le mélange était prématuré, selon eux. Il y aurait des flambées de violence, les élèves s'affronteraient pour la supériorité de leur immeuble. Cela viendrait en son temps... mais il était encore trop tôt.

Risquant une lourde amende, Ian Duncan resta ce soir-là chez lui à étudier les textes officiels sur l'histoire politico-religieuse des États-Unis — on disait « polrel ». Il se savait faible dans ce domaine ; il comprenait à peine les facteurs économiques, et encore moins le flot d'idéologies religieuses et politiques qui s'étaient succédé au cours du XX^e^ siècle et avaient directement contribué à instaurer la situation actuelle. Par exemple, l'ascension du Parti démocrate-républicain. Il y avait d'abord eu deux partis engagés dans des querelles inutiles, des luttes pour le pouvoir, exactement comme les immeubles d'aujourd'hui. Ils avaient fusionné vers 1985. À présent n'existait plus qu'un parti unique ; il édictait les lois régissant une société stable et paisible, et tout le monde en était membre. On payait sa cotisation, on assistait aux réunions et, tous les quatre ans, on votait pour élire un nouveau Président — l'homme dont on pensait qu'il aurait la préférence de Nicole.

C'était une grande satisfaction pour le peuple que de pouvoir décider qui serait pour quatre ans le mari de

Nicole ; en un sens, le corps électoral détenait le pouvoir suprême, y compris sur Nicole elle-même. Par exemple, le dernier élu en date, Taufic Negal. Ça n'allait pas très bien entre lui et la Première Dame, ce qui indiquait qu'elle n'appréciait guère ce choix. Mais bien sûr, en grande dame qu'elle était, elle ne dirait jamais rien.

À quelle époque la Première Dame a-t-elle commencé à prendre le pas sur le Président ? demandait le manuel de polrel. En d'autres termes, quand notre société est-elle devenue matriarcale ? se dit Duncan. Je connais la réponse : vers 1900. Il y avait eu des signes avant-coureurs ; le changement s'était produit graduellement. Chaque année le Président était un peu plus effacé, la Première Dame plus connue, plus aimée du public. C'était au public que l'on devait le phénomène. Était-ce par besoin d'une mère, d'une épouse, d'une maîtresse, peut-être des trois à la fois ? En tout cas, il avait eu ce qu'il voulait, le public ; il avait Nicole, qui était assurément tout cela, et bien plus encore.

Dans l'angle du salon, le poste de télévision fit *taaaaang*, signalant qu'il était sur le point de s'allumer. Avec un soupir, Duncan referma le manuel officiel du gouvernement et reporta son attention sur l'écran. Une émission spéciale sur les activités de la Maison-Blanche, spécula-t-il. Un nouveau voyage, peut-être, ou un examen minutieux (avec force détails approfondis) du nouveau passe-temps de Nicole. S'était-elle mise à collectionner les tasses en porcelaine ? Si oui, on allait avoir droit à toutes les déclinaisons de bleu roi.

Effectivement, le visage rond et lourdement fardé de Maxwell Jamison, porte-parole de la Maison-Blanche, apparut. Levant la main, l'homme eut un geste désormais familier « Bonsoir, peuple de notre pays, fit-il solennellement. Vous êtes-vous jamais demandé comment on pouvait descendre au fond de l'océan Pacifique ? Nicole s'est posé la question et, pour y répondre, elle a réuni dans le bureau Tulipe de la Maison-Blanche trois des plus grands océanographes au monde. Ce soir, elle leur demandera de raconter leurs aventures, que vous entendrez vous aussi, telles qu'elles ont été enregistrées en direct, il y a quelques instants, grâce au matériel du Réseau triadique unifié du Bureau des affaires publiques. »

Et maintenant, à la Maison-Blanche, se dit Ian Duncan. Du moins par procuration. Nous qui ne savons comment y accéder, qui n'avons aucun talent susceptible d'intéresser la Première Dame ne serait-ce qu'un soir, nous allons y pénétrer quand même, par la fenêtre soigneusement réglée de notre poste de télévision.

Ce soir, il n'avait pas vraiment envie de regarder, mais cela semblait indiqué ; il pouvait y avoir un questionnaire surprise à la fin de l'émission. Un bon score au quiz surprise, et il pouvait compenser les mauvais résultats de son dernier contrôle politique, actuellement corrigé par son voisin, Mr. Stone. Car il était mauvais, il le savait.

Sur l'écran s'épanouissait à présent une physionomie avenante et sereine ; le teint blanc, les yeux noirs et intelligents, l'air à la fois sage et mutin, une femme monopolisait l'attention de la nation entière, presque de la planète, puisqu'on faisait sur elle une véritable fixation. Ian Duncan frémit. Il avait manqué à ses engagements envers elle ; elle connaissait certainement ses piètres résultats aux contrôles, et même si elle ne disait rien, la déception était là.

« Bonsoir », fit Nicole de sa douce voix légèrement voilée.

« C'est comme ça, se surprit à grommeler Duncan. Je ne suis pas doué pour les abstractions ; je veux dire, pour toute cette philosophie *polrel* — je n'y comprends rien. J'aimerais bien mieux me concentrer simplement sur la réalité concrète... Faire cuire des briques ou fabriquer des chaussures. » Je devrais être sur Mars, songea-t-il. Sur la frontière. Je ne fais rien de bon ici ; à trente-cinq ans, je suis lessivé, et elle le sait. Laisse-moi partir, Nicole, pensa-t-il, au bord du désespoir. Ne me fais plus passer de contrôles, je n'ai aucune chance de les réussir. Cette émission sur les fonds marins, par exemple : quand elle sera finie, j'aurai déjà tout oublié. Je ne suis d'aucune utilité pour le Parti républicain-démocrate.

Il pensa alors à son frère. Al pouvait l'aider. Il travaillait dans un des parcs à vieilles guimbardes de Luke le Timbré, à fourguer des petits vaisseaux en plastique et fer-blanc accessibles même aux rebuts de la société, des tacots capables, avec un peu de chance, d'un aller simple pour Mars. Al, se dit-il, tu pourrais m'en dégoter un au prix de gros.

Sur l'écran, Nicole disait : « Vraiment, c'est un monde enchanteur peuplé de pures merveilles, d'entités lumineuses surpassant de loin, en matière de diversité, tout ce que l'on a découvert sur les autres planètes. Les scientifiques estiment qu'il existe plus de formes de vie dans l'océan... »

Son visage s'estompa et des poissons grotesques vinrent occuper l'écran. C'est encore de la propagande, s'avisa Duncan. Il s'agit de nous détourner de Mars, de l'idée d'échapper au Parti... de lui échapper à elle. Sur l'écran, un poisson aux yeux globuleux qui le fixait bouche bée retint son attention malgré lui. Bon Dieu, pensa-t-il, drôle de monde que les fonds marins. Nicole, tu m'as eu. Si seulement Al et moi avions réussi ; on serait peut-être en train de faire notre numéro devant toi en ce moment même, et on serait heureux. Pendant que tu t'entretiendrais avec les océanographes de renommée mondiale, Al et moi on jouerait discrètement en arrière-plan, par exemple une *Invention à deux voix* de Bach.

Duncan se dirigea vers le placard, se baissa et ramena précautionneusement à la lumière un objet enveloppé dans un linge. Nous avions une telle foi juvénile dans tout ça, se rappela-t-il. Tendrement, il déballa la cruche ; puis, ayant pris sa respiration, il souffla dedans pour en tirer quelques notes caverneuses. « Les frères Duncan et leur Duo à deux cruches » : Al et lui autrefois ; ils jouaient leurs propres arrangements de Bach, Mozart, Stravinski. Mais le chasseur de talents de la Maison-Blanche, cette ordure, ne leur avait pas même accordé une audition digne de ce nom. Ça a déjà été fait, avait-il tranché. Jesse Pigg, le fabuleux joueur de cruche d'Alabama, les avait précédés à la Maison-Blanche, où il avait distrait et ravi les dizaines de membres de la famille Thibodeaux avec ses versions de « Derby Ram », « John Henry » et autres airs du même genre.

« Mais, avait protesté Ian Duncan, c'est de la cruche *classique* que nous jouons. Les dernières sonates de Beethoven !

— On vous écrira, avait conclu le chasseur de talents. Si Nicky vient à s'y intéresser un jour. »

Nicky ! Il avait blêmi. Dire qu'on pouvait être à ce point intime avec la Première Famille... Marmonnant des mots sans suite, Al et lui avaient quitté la scène avec leurs cruches, cédant la place au numéro suivant, un groupe de chiens en costume élisabéthain représentant des personnages de *Hamlet*. Ils n'avaient pas eu de succès non plus, mais c'était une piètre consolation.

« On me dit, déclarait Nicole, qu'il y a si peu de

lumière au fond de l'océan que... eh bien, observez cet étrange personnage. » Un poisson arborant devant lui une lanterne lumineuse traversa l'écran.

Un coup retentit à la porte de l'appartement. Duncan sursauta et, anxieux, alla ouvrir ; il découvrit son voisin sur le seuil, Mr. Stone. Il avait l'air agité.

« Vous n'étiez pas à la cérémonie de la Toussaint ? s'étonna Stone. Vous ne craignez pas qu'on s'en aperçoive ? » Il tenait à la main le contrôle corrigé de Duncan.

« Dites-moi comment je m'en suis tiré », répondit ce dernier en s'armant de courage.

Stone entra et referma la porte. Il jeta un coup d'œil au poste de télé, vit Nicole et ses océanographes, l'écouta un instant puis déclara d'une voix rauque « Vous vous êtes bien débrouillé. » Il lui tendit le contrôle.

« J'ai réussi ? » Duncan n'arrivait pas à y croire. Il prit les feuillets, les examina avec incrédulité... et comprit ce qui s'était passé. Stone s'était arrangé pour qu'il réussisse ; il avait falsifié les résultats, probablement pour des motifs humanitaires. Ils se regardèrent sans échanger un mot. C'est affreux, pensa Duncan. Qu'est-ce que je vais faire, maintenant ? Sa réaction le stupéfia, mais c'était ainsi.

Je voulais échouer, s'avisa-t-il. Pourquoi ? Pour pouvoir partir, avoir une excuse pour abandonner tout ça, mon appartement et mon boulot, et m'en aller. Émigrer avec juste ma chemise sur le dos, dans une épave condamnée à se disloquer dès qu'elle se posera sur le désert martien.

« Merci », fit-il d'une voix lugubre.

Stone répondit précipitamment : « Vous pourrez en faire autant pour moi, à l'occasion.

— Oh oui, j'en serais ravi ! »

Stone s'empressa de prendre congé et le laissa seul avec son poste de télé, sa cruche, son contrôle surnoté et ses réflexions.

Al, il faut que tu m'aides, se dit-il. Que tu me tires de là ; je ne suis même plus capable d'échouer tout seul.

Dans le petit pavillon au fond du Parc à guimbardes nº 3, les pieds sur le bureau, Al Duncan fumait tout en regardant les passants, le trottoir, les habitants et les magasins du quartier commerçant de Reno, Nevada. Derrière les guimbardes neuves exposées, toutes luisantes, avec leurs fanions flottant au vent et leurs cascades de banderoles, quelque chose attendait, caché sous le panneau proclamant LUKE LE TIMBRÉ.

Il n'était pas le seul à l'avoir repéré ; sur le trottoir s'avançaient un homme et une femme et, trottant devant eux, un petit garçon qui s'exclama, sauta sur place et se mit à gesticuler. « Hé ! p'pa, regarde ! Tu sais ce que c'est ? Regarde, c'est le papoula.

— Mince alors ! fit son père en souriant. C'est vrai. Tu as vu, Marion ? C'est une de ces créatures martiennes, là-bas, sous le panneau. Ça te dirait qu'on aille bavarder un peu ? » Son fils à ses côtés, il se dirigea vers le papoula. Sa femme, elle, poursuivit son chemin.

« Viens, m'man ! » insista le garçon.

Dans son bureau, Al effleura la télécommande dissimulée sous sa chemise. Le papoula émergea de sous le panneau LUKE LE TIMBRÉ et Al le fit avancer en se dandinant sur ses six pattes courtaudes, son ridicule chapeau rond de guingois sur une antenne, ses yeux se croisant et se décroisant tandis qu'il se concentrait sur la femme. Une fois le tropisme établi, le papoula la suivit en clopinant pour la plus grande joie du petit et de son père.

« Regarde, p'pa, il suit, m'man ! Hé ! m'man, retourne-toi ! »

L'interpellée obtempéra, vit l'organisme discoïde au corps d'insecte orange et éclata de rire. Tout le monde aime le papoula, se dit Al. Oh, l'amusant papoula martien ! Parle, papoula ; dis bonjour à la gentille dame qui se moque de toi.

Les pensées du papoula, dirigées vers la femme, se propagèrent jusqu'à Al. Il la saluait, lui disait combien il était agréable de faire sa connaissance. Il la flatta et l'amadoua jusqu'à ce qu'elle rebrousse chemin, de sorte que toute la petite famille regroupée recevait à présent ses impulsions mentales. Le papoula, créature martienne fondamentalement pacifique et pour tout dire inoffensive, les aimait lui aussi ; il le leur disait tout en leur transmettant la gentillesse, la chaleureuse hospitalité auxquelles il était habitué sur sa planète.

Mars... Quel endroit merveilleux ce doit être, songeait sans aucun doute le couple tandis que le papoula déversait à leur bénéfice ses souvenirs et ses bonnes dispositions. Pas schizophrène et insensible comme la société terrienne ; là-bas les gens ne s'espionnent pas l'un l'autre, on ne note pas les innombrables contrôles politiques de son voisin, on ne fait pas de rapport hebdomadaire au Comité de sécurité de son immeuble. Pensez-y, disait le papoula aux trois humains fascinés, incapables de s'arracher à son emprise. Là-bas, on est son propre patron ; libre de travailler sa terre, de croire en ce qu'on veut, de devenir soi-même. Regardez-vous, rien qu'à m'écouter vous avez déjà peur. Peur de...

Inquiet, le mari dit : « On s'en va.

— Oh ! papa, supplia le gamin. C'est pas tous les jours qu'on peut parler avec un papoula. Il doit venir de cette jungle à guimbardes, là. » Il pointa un index et Al devint la cible du regard pénétrant, scrutateur de son père.

« Ah, oui, fit celui-ci. Ils sont venus nous vendre leurs guimbardes. Il exerce son influence mentale sur nous, il nous baratine. » Son expression ravie s'effaçait à vue d'œil. « Le type qui est assis là-bas le manipule. »

N'empêche, pensa le papoula, ce que je vous ai dit reste vrai. Même si je suis effectivement en train de vous faire l'article. Vous pourriez vous rendre sur Mars par vos propres moyens, vous et votre famille ; aller voir par vous-même — si vous avez le courage de vous rendre libre. Mais en êtes-vous capable ? êtes-vous vraiment un homme ? Achetez une guimbarde à Luke le Timbré... tant que vous le pouvez encore, parce qu'un jour, très bientôt peut-être, la loi va s'y opposer. Il n'y aura plus de jungles à guimbardes. Plus de brèche permettant à quelques heureux d'échapper à cette société autoritaire.

Tripotant la télécommande installée à sa taille, Al poussa son avantage. L'impact mental du papoula raffermit son emprise sur le mari. Vous devez acheter une guimbarde. Facilités de paiement, service après-vente garanti, nombreux choix de modèles. L'homme fit un pas vers la « jungle ». Dépêchez-vous, fit le papoula. D'une seconde à l'autre, les autorités peuvent fermer l'établissement et l'occasion sera perdue pour toujours.

« C'est un truc, articula l'homme avec difficulté. Cet animal appâte les gens. Par hypnose. Allons-nous-en. » Pourtant, il ne s'en alla pas ; il était trop tard : il allait bel et bien acheter une guimbarde. Dans son bureau, Al n'avait plus qu'à mouliner pour ramener sa prise.

Sans se presser, Al se mit debout. Il était temps de conclure l'affaire. Il arrêta le papoula, sortit... et vit une silhouette familière se faufiler entre les tas de ferraille.

Son frère Ian, qu'il n'avait pas vu depuis des années, venait vers lui. Ça alors, se dit Al. Qu'est-ce qu'il me veut ? Et à un moment pareil, en plus...

« Al, lança Ian en lui faisant signe. Je peux te parler une seconde ? Tu n'es pas trop occupé ? » Pâle et en sueur, il s'approcha en jetant des regards effrayés autour de lui. Al le trouva vieilli.

« Écoute... », s'irrita ce dernier. Mais c'était déjà trop tard ; le couple et l'enfant avaient décroché ; ils s'éloignaient rapidement.

« Je ne voulais pas te déranger, marmonna Ian.

— Tu ne me déranges pas, dit Al en regardant partir le trio d'un œil mélancolique. Qu'est-ce qu'il y a, Ian ? Tu n'as pas l'air bien ; tu es malade ? Viens dans mon bureau. » Il lui montra le chemin et referma la porte.

« Je suis retombé sur ma cruche, dit Ian. Tu te rappelles, quand on essayait de se placer à la Maison-Blanche ? Il faut qu'on réessaye, Ian. Parole, je ne peux pas continuer comme ça ; je ne supporte pas d'avoir raté ce qu'on considérait tous les deux comme la chose la plus importante au monde. » Haletant, les mains tremblantes, il s'épongea le front avec son mouchoir.

« Je n'ai même plus ma cruche, répondit Al.

— Bah, on pourrait enregistrer séparément nos parties avec la mienne, les mixer sur une bande et présenter le tout à la Maison-Blanche. Ce sentiment d'être prisonnier... je ne sais pas si je suis capable de continuer à vivre avec. Il faut que je me remette à jouer. Si on commençait dès maintenant à répéter les *Variations Goldberg*, dans deux mois on...

— Tu habites toujours au même endroit ? l'interrompit Al. Abraham Lincoln ? »

Ian opina.

« Et tu travailles toujours à Palo Alto comme inspecteur de l'équipement ? » Il n'arrivait pas à comprendre pourquoi son frère était aussi bouleversé. « Si vraiment ça devient grave, tu peux toujours émigrer. Mais moi, pas question que je me remette à la cruche ; je n'ai pas joué depuis des années. Depuis la dernière fois qu'on s'est vus, en fait. Un instant. » Il pianota sur la télécommande du papoula ; la créature regagna lentement son poste, sous le panneau.

« Je croyais qu'ils étaient tous morts, dit Ian en l'apercevant.

— Évidemment.

— Mais, il bouge...

— C'est un faux. Une marionnette dont je tire les ficelles. » Il montra la télécommande à son frère. « Il rabat les passants. Luke est censé en avoir un vrai pour servir de modèle. Mais personne n'en est vraiment sûr et la loi ne peut pas l'inquiéter puisqu'en principe, il est maintenant citoyen de Mars ; on ne peut pas lui faire restituer le vrai, s'il est effectivement en sa possession. » Al s'assit et alluma une cigarette. « Rate ton contrôle *polrel*, perds ton appartement et récupère ton versement initial ; apporte-moi l'argent et je te procurerai une chouette guimbarde qui t'emmènera sur Mars. D'accord ?

— J'ai essayé d'échouer au test, mais on ne veut pas me laisser partir. On a arrangé les résultats. On ne veut pas que je m'en aille.

— Qui ça, "on" ?

— Mon voisin de palier. Ed Stone. Il a fait ça délibérément ; je l'ai lu sur son visage. Peut-être pensait-il me rendre service... je ne sais pas. » Il regarda autour de lui. « Joli petit bureau. Tu y dors, n'est-ce pas ? Quand il se déplace, tu te déplaces avec.

— Ouais, on est toujours prêts à mettre les voiles. »

La police avait failli l'agrafer un certain nombre de fois, même si la plate-forme pouvait atteindre la vélocité orbitale en six minutes. Le papoula avait détecté son approche, mais pas suffisamment à l'avance pour lui permettre de prendre une avance confortable ; la fuite était généralement précipitée et une partie du stock de guimbardes restait sur place.

« Tu n'as qu'une petite marge de manœuvre, dit Ian d'un air songeur. Mais ça ne te tracasse pas. Je suppose que ça tient à ta façon de prendre les choses.

— S'ils me coincent, Luke me fera relâcher sous caution. » Puisqu'il se trouvait en permanence sous la tutelle de son puissant patron, pourquoi s'inquiéterait-il ? Le magnat des guimbardes connaissait un million de combines. Le clan Thibodeaux ne s'en prenait à lui que par le biais d'éditoriaux dans les magazines populaires ou à la télévision, et toujours pour insister sur sa vulgarité ou la piètre qualité de ses véhicules ; manifestement, on avait un peu peur de lui.

« Je t'envie, dit Ian. J'envie ton sang-froid. Ton calme.

— Il doit bien y avoir un aumônier, dans ton immeuble ? Va donc lui parler.

— Inutile, fit Ian d'une voix amère. En ce moment, c'est Patrick Doyle, et il n'est guère plus brillant que moi. Quant à Don Klugman, le président, il va encore plus mal ; un véritable paquet de nerfs. En fait, tout l'immeuble est miné par l'angoisse. Ça a peut-être un rapport avec la sinusite de Nicole. »

Jetant un coup d'œil à son frère, Al se rendit compte qu'il était sérieux. La Maison-Blanche et tout ce qu'elle représentait atteignaient pour lui un tel degré d'importance ! Cela dominait encore sa vie, comme quand ils étaient gosses. « Par égard pour toi, dit doucement Al, je vais ressortir ma cruche et répéter. On va faire un nouvel essai. »

Interloqué, plein de gratitude, Ian le regarda bouche bée.

Dans un bureau de l'Abraham Lincoln, Don Klugman et Patrick Doyle étudiaient la demande que Ian Duncan, appartement nº 403, leur avait soumise. Ian désirait se produire dans la parade de talents bihebdomadaire, à un moment où un agent de la Maison-Blanche serait présent. La requête, constatait Klugman, était de pure routine, sauf que Ian proposait un numéro exécuté conjointement avec un individu *n'habitant pas l'Abraham Lincoln.*

Doyle dit : « C'est son frère. Il me l'a dit un jour ; ils faisaient ce numéro tous les deux, il y a des années. De la musique baroque à deux cruches. Une formule encore inédite.

— Dans quel immeuble son frère habite-t-il ? » demanda Klugman. L'accueil favorable de la demande dépendrait de l'état des relations entre l'Abraham Lincoln et l'autre immeuble.

« Aucun. Il vend des tacots pour ce Luke le Timbré, vous savez. Ces petits vaisseaux bon marché qui vous traînent à grand-peine jusqu'à Mars. Il vit sur un des parcs, à ce que j'ai cru comprendre. Les parcs se déplacent ; c'est une existence de nomade. Je suis sûr que vous en avez entendu parler.

— Oui, reconnut Klugman. Et c'est totalement hors de question. Nous ne pouvons autoriser la présence d'un individu pareil sur notre scène. Ian Duncan peut jouer de la cruche ; c'est un droit politique fondamental, et je ne serais pas surpris que le numéro soit bon. Mais quant à y faire participer un étranger... cela va à l'encontre de la tradition ; la scène a toujours été exclusivement réservée aux gens de chez nous, et il n'y a aucune raison que les choses changent. L'affaire est close. » Il contempla l'aumônier d'un œil critique.

« Exact, dit Doyle, mais c'est tout de même un parent. Nous avons bien le droit d'inviter un proche aux spectacles... Alors pourquoi ne pas le laisser participer ? C'est très important pour Ian ; vous savez, je crois qu'il a essuyé des échecs récemment. Ce n'est pas quelqu'un de très intelligent. En fait, il devrait occuper un emploi manuel. Mais s'il a des capacités artistiques, par exemple à la cruche... »

Compulsant ses documents, Klugman vit qu'un rabatteur de la Maison-Blanche devait venir quinze jours plus tard. Les meilleurs numéros de l'immeuble seraient naturellement présentés ce soir-là... Les frères Duncan et leur duo de cruches baroques devraient triompher des éliminatoires pour obtenir ce privilège. Klugman songea que nombre de numéros seraient sans doute supérieurs. Des *cruches*... et même pas électroniques, en plus !

« Très bien, dit-il tout haut à Doyle. Je vous donne mon accord.

— Vous montrez là votre côté humain, dit l'aumônier avec un sourire sentimental qui écœura Klugman. Et je crois que nous apprécierons tous Bach et Vivaldi joués par les frères Duncan sur leurs inimitables cruches. »

Klugman hocha la tête en faisant la grimace.

Le grand soir, comme Ian et Al pénétraient dans l'auditorium, au niveau 1 de l'Abraham Lincoln, Duncan vit que derrière son frère venait le papoula. Il s'arrêta net. « Tu amènes ça ? »

Al dit : « Voyons, Ian... Il faut qu'on gagne, oui ou non ? »

Après un silence, Ian répondit : « Pas comme ça. » Il comprenait ; le papoula accrocherait le public comme il avait accroché les passants sur le trottoir. Il exercerait sur lui une influence extrasensorielle, l'amènerait en douceur à prendre une décision favorable. Autant pour la morale des marchands de tacots, songea Ian. Pour son frère, cela semblait parfaitement normal ; si leur talent ne suffisait pas, ils gagneraient grâce au papoula.

« Allez ! fit Al avec un grand geste. Ne sois pas ton pire ennemi. On va utiliser une technique subliminale de vente qui a cours depuis un siècle, voilà tout ; rien de tel pour faire basculer l'opinion publique en ta faveur. Car ne nous voilons pas la face : nous n'avons pas joué en professionnels depuis des années. » Il effleura la télécommande passée à sa ceinture et le papoula pressa le pas. Une nouvelle manipulation et...

... dans l'esprit de Ian surgit une pensée persuasive : *Pourquoi pas ?* Tout le monde le fait.

Avec difficulté, il articula : « Débarrasse-moi de ce truc, Al. »

Ce dernier haussa les épaules. La pensée qui avait envahi l'esprit d'Ian s'évanouit progressivement. Toutefois, il en restait quelque chose. Il n'était plus si sûr de sa position.

« Ce n'est rien à côté des méthodes de Nicole, souligna Al en voyant son expression. Un papoula par-ci, par-là, alors que Nicole a fait de la télé un instrument planétaire... là est le véritable danger, Ian. Le papoula, c'est du rudimentaire ; on se sait manipulé. Mais quand on écoute Nicole, l'influence est subtile, totale...

— Ça, je n'en sais rien, dit Ian. Ce que je sais, c'est que si nous ne réussissons pas, si nous n'arrivons pas à jouer à la Maison-Blanche, en ce qui me concerne la vie ne vaudra plus la peine d'être vécue. Et ça, personne ne me l'a mis dans la tête. C'est mon sentiment personnel, voilà tout ; mon idée à moi, bon sang ! » Il tint la porte ouverte et Al entra dans l'auditorium en tenant sa cruche par l'anse. Ian lui emboîta le pas et, un instant plus tard, ils étaient tous deux sur scène, face à une salle partiellement remplie.

« Tu l'as déjà vue ? demanda Al.

— Je la vois tout le temps.

— Je veux dire en vrai. En personne. En chair et en os, pour ainsi dire.

— Bien sûr que non », dit Ian. C'était pour cela qu'ils devaient réussir, accéder à la Maison-Blanche. Pour la voir vraiment elle et non son image télé ; alors ce ne serait plus un fantasme — ce serait la réalité.

« Si, une fois, reprit Al. Je venais de poser la plate-forme — le Parc à guimbardes n° 3 — sur une grande avenue de Shreveport, en Louisiane, où il n'y avait que des bureaux. C'était tôt le matin, vers huit heures. J'ai vu arriver des voitures officielles ; naturellement, j'ai pensé que c'était la police et j'ai voulu redécoller. Mais non. C'était un cortège d'automobiles, avec Nicole dedans, qui allait inaugurer un nouvel immeuble de résidence, le plus grand à ce jour.

— Ah oui, fit Ian. Le Paul Bunyan. » L'équipe de football de l'Abraham Lincoln jouait tous les ans contre eux et perdait invariablement. Le Paul Bunyan abritait plus de dix mille résidents, tous fonctionnaires ; ses appartements étaient exclusivement réservés aux membres actifs du Parti et les loyers mensuels exceptionnellement élevés.

« Si tu l'avais vue... », reprit Al d'un air pensif en s'asseyant face au public, sa cruche sur les genoux. Il poussa le papoula du bout du pied ; la créature avait pris place sous son siège, à l'abri des regards. « Oui, murmura-t-il, si seulement tu avais pu la voir... Ce n'était pas comme à la télé, Ian. Pas du tout. »

Ian hocha la tête. Il commençait à avoir le trac ; dans quelques minutes on allait les présenter. L'heure de la mise à l'épreuve était arrivée.

Le voyant agripper sa cruche d'un air angoissé, Al demanda : « Alors, j'utilise le papoula, oui ou non ? À toi de voir. » Il haussa un sourcil interrogateur.

« Oui, vas-y.

— Très bien. » Al fourra sa main droite sous sa veste et effleura nonchalamment les commandes. Le papoula émergea, avec ses antennes au mouvement comique, ses yeux qui se croisaient et se décroisaient sans cesse.

D'un coup, l'assistance se concentra ; on se penchait en avant pour mieux voir, on gloussait de plaisir.

« Regardez », fit un homme avec excitation. Il s'agissait de Joe Purd, aussi passionné qu'un enfant. « C'est le papoula ! »

Une femme se mit carrément debout et Ian songea : *Tout le monde aime le papoula.* Nous allons gagner, que nous sachions jouer de la cruche ou non. Et puis quoi ? Rencontrer Nicole nous rendra-t-il plus malheureux que nous ne le sommes ? Est-ce là ce que nous allons en retirer, en fait ? Un désespoir formidable ? Une douleur, un regret que rien ne pourra jamais apaiser ici bas ?

Il était trop tard pour reculer. Les portes de l'auditorium s'étaient refermées et Don Klugman se levait de son fauteuil pour réclamer le silence. « Très bien, mes amis, annonça-t-il par l'intermédiaire du micro épinglé à son revers. Nous allons assister à une petite démonstration de talents, pour le plaisir de tous. Comme vous le voyez sur vos programmes, le premier numéro est un excellent duo, les frères Duncan et leurs cruches classiques, dans un pot-pourri de Bach et de Haendel qui devrait vous faire taper du pied. » Un grand sourire malicieux à Ian et Al, l'air de dire : Ça vous va comme intro ?

Al n'y prêta pas attention ; il manipula ses commandes, considéra la salle d'un air pensif, puis empoigna enfin sa cruche, jeta un coup d'œil à Ian et donna le tempo en battant du pied. La *Petite fugue en sol mineur* ouvrait le pot-pourri, et Al se mit à souffler dans sa cruche le début du thème enjoué — bum, bum, bum. Bum-bum bum-bum bum bum de bum —, les joues de plus en plus rouges et gonflées par l'effort.

Le papoula traversa nonchalamment la scène puis, à sa manière gauche et un peu désarticulée, descendit et gagna le premier rang. Il attaquait sa mission.

La nouvelle affichée au tableau communautaire à l'entrée de la cafétéria stupéfia Edgar Stone : ainsi, les frères Duncan avaient été choisis par le chasseur de talents pour jouer à la Maison-Blanche ! Il relut le communiqué en se demandant comment ce petit bonhomme nerveux et craintif s'était débrouillé pour en arriver là.

Il y a eu tricherie, se dit Stone. Exactement comme pour ses tests politiques... Quelqu'un lui falsifie aussi ses résultats dans le domaine artistique. Il avait personnellement assisté au numéro de cruches classiques et les frères Duncan n'étaient pas si bons que ça. Pas mauvais, certes... mais intuitivement, il savait qu'il y avait autre chose.

Au plus profond de lui-même, il s'en voulait amèrement d'avoir falsifié les résultats de Duncan. Il l'avait mis sur la route du succès ; il l'avait sauvé. Et maintenant, il était en route pour la Maison-Blanche

Pas étonnant que Duncan se soit si mal tiré de son test politique, se dit Stone. Il était occupé à répéter, il n'a pas de temps à consacrer aux réalités ordinaires dont le reste d'entre nous doit s'accommoder. Ça doit être bien d'être artiste, pensa encore Stone avec regret. On est exempté des règles, on peut faire ce qu'on veut.

Il s'est bien moqué de moi, comprit-il brusquement.

Il s'engagea à grandes enjambées dans le couloir du premier niveau et arriva au bureau de l'aumônier. Il sonna. La porte s'ouvrit, dévoilant Patrick Doyle derrière son bureau, plongé dans son travail, le visage tout plissé de fatigue. « Hum, mon père, dit Stone, je voudrais me confesser. Avez-vous quelques minutes à m'accorder ? Ça me pèse vraiment sur le cœur ; mes péchés, je veux dire. »

Se frottant le front, Doyle acquiesça. « Seigneur, murmura-t-il, un malheur n'arrive jamais seul ; dix résidents sont déjà venus utiliser le confessionneur aujourd'hui. Allez-y. » Il désigna l'alcôve ouvrant sur son bureau. « Asseyez-vous et branchez-vous. Je vais vous écouter pendant que je remplis ces formulaires 4-10 envoyés par Boise. »

Plein d'une indignation courroucée, Edgar Stone fixa les électrodes du confessionneur aux endroits voulus de son cuir chevelu et, s'emparant du micro, entreprit de se confesser. Les tambours magnétiques de la machine se mirent à tourner. « Mû par une compassion feinte, dit-il, j'ai enfreint une règle de l'immeuble. Toutefois, ce n'est pas tant l'acte lui-même qui me préoccupe que mes motivations sous-jacentes ; l'acte n'est que la partie apparente de ma fausseté envers mes camarades résidents. Mon voisin Ian Duncan s'est montré médiocre lors de son dernier test *polrel* ; je prévoyais qu'il serait expulsé de l'Abraham Lincoln. Je me suis identifié à lui parce que, inconsciemment, je me considère comme un raté, à la fois en tant que résident et en tant qu'homme ; alors j'ai falsifié sa note pour qu'il soit reçu. Évidemment, il va falloir faire passer un nouveau test *polrel* à Duncan et annuler celui que j'ai noté. » Il jeta un coup d'œil à l'aumônier mais ne nota pas de réaction.

Voilà qui réglera le cas de Ian Duncan et de sa cruche classique, se dit Stone.

Le confessionneur avait eu le temps d'analyser ses propos ; il éjecta une fiche que Doyle vint chercher d'un air las. Après un examen minutieux, il releva les yeux. « Mr. Stone, dit-il, l'opinion exprimée ici est que votre confession n'en est pas une. Qu'avez-vous vraiment en tête ? Reprenez votre confession au début ; vous n'avez pas assez creusé ; la vérité n'est pas remontée à la surface. Et je vous suggère de commencer par ce que vous avez délibérément déformé.

— Je n'ai rien fait de tel, rétorqua Stone dont la voix rendit un son bien faible même à ses propres oreilles. Peut-être pourrions-nous en discuter de manière officieuse. J'ai effectivement falsifié le test de Duncan. Mais mes raisons d'agir ainsi... »

Doyle l'interrompit : « N'êtes-vous pas jaloux de Duncan, maintenant ? De son succès à la cruche, qui lui vaut la tutelle de la Maison-Blanche ? »

Silence.

« C'est possible, admit enfin Stone. Mais cela ne change rien : en toute justice, Ian Duncan n'a rien à faire ici ; il devrait être expulsé, quelles que soient mes motivations profondes. Voyez le code de l'immeuble. Je sais qu'il existe un article concernant ce type de situation.

— Vous ne pouvez pas ressortir d'ici sans vous être confessé ; vous devez satisfaire la machine. Vous tentez d'imposer l'expulsion d'un voisin pour satisfaire vos propres demandes affectives. Confessez cela, et peut-être pourrons-nous voir ensuite dans quelle mesure le code communautaire s'applique à Duncan. »

Stone grogna et remit en place les électrodes. « Très bien, grinça-t-il. Je hais Ian Duncan parce qu'il a un don artistique et moi pas. Je désire être examiné par un jury de douze membres choisis parmi mes voisins afin que l'on détermine quel châtiment mérite ma faute, mais j'insiste pour que l'on fasse passer un autre test *polrel* à Duncan ! Je ne céderai pas là-dessus ; il n'a pas le droit de rester parmi nous. C'est moralement et légalement *injuste.*

— Au moins vous êtes honnête maintenant, dit Doyle.

— En fait, reprit Stone, j'aime les duos de cruches ; j'ai apprécié la performance de l'autre soir. Mais je dois agir dans ce que je considère comme étant l'intérêt de la communauté. »

Il lui sembla qu'en éjectant une seconde fiche, le confessionneur lâchait un petit reniflement moqueur. Mais peut-être n'était-ce que son imagination.

« Vous vous enferrez, déclara Doyle en lisant. Regardez ça. » Il tendit la fiche à Stone. « Il règne dans votre esprit la plus grande confusion ; vos motivations sont ambiguës. À quand remonte votre dernière confession ? »

Rougissant, Stone marmonna : « Août dernier, je crois. C'était Pepe Jones qui était aumônier, à l'époque.

— On va avoir beaucoup de travail à faire avec vous », dit Doyle en allumant une cigarette et en se carrant dans son fauteuil.

Le premier morceau de la représentation à la Maison-Blanche, avaient-ils décrété après maintes discussions et querelles, serait la *Chaconne en ré* de Bach. Al l'avait toujours aimée, malgré ses difficultés et ses passages en double corde. Quant à Ian, le simple fait d'y penser le rendait nerveux. Il regrettait de ne pas avoir mieux défendu la *Cinquième suite pour contrebasse sans accompagnement*, qui était plus simple. Mais il était trop tard. Al avait fait parvenir l'information à Harold Slezak, secrétaire du service A. & R. — Artistes et Répertoire — de la Maison-Blanche.

Al dit : « Ne t'en fais pas ; tu tiens la seconde cruche dans ce morceau-là. Ça ne te fait rien, j'espère ?

— Non », dit Ian. C'était plutôt un soulagement. Al avait de loin la partition la plus difficile.

Le papoula sillonnait le périmètre du Parc à guimbardes n° 3 en guettant tranquillement le chaland. Il n'était que dix heures du matin et aucun client potentiellement digne d'intérêt ne s'était encore présenté. Ce jour-là, la plate-forme s'était posée dans la partie vallonnée d'Oakland, Californie, dans le quartier résidentiel le plus huppé, dont les rues sinueuses étaient toutes bordées d'arbres. En face, Ian distinguait le Joe Louis, un immeuble d'un millier d'appartements essentiellement occupé par des Noirs nantis. Dans le soleil matinal, il paraissait particulièrement propre et entretenu. Un gardien à badge et revolver en interdisait l'entrée aux non-résidents.

« Il faut d'abord que Slezak approuve le programme, rappela Al à son frère. Nicole n'aura peut-être pas envie d'entendre la *Chaconne* ; elle a des goûts très spécifiques, et ils changent tout le temps. »

Ian se représenta Nicole assise dans son lit immense, en peignoir rose à fanfreluches, son petit déjeuner sur un plateau à côté d'elle, parcourant le programme des numéros soumis à son accord. Elle a d'ores et déjà entendu parler de nous, pensa-t-il. *Elle est au courant de notre existence.* C'est donc que nous existons réellement. Tel l'enfant qui a besoin du regard de sa mère, nous sommes créés, validés aux yeux de tous par le seul regard de Nicole.

Et quand elle regardera ailleurs, que se passera-t-il pour nous ? Allons-nous nous désintégrer, replonger dans l'oubli ?

Redevenir, songea-t-il, des atomes disséminés au hasard et que rien ne distingue. Retourner d'où nous venons... c'est-à-dire au non-être. Ce monde où nous avons vécu toute notre vie.

« Et puis, dit Al, elle nous demandera peut-être de rejouer. Si ça se trouve, elle nous réclamera même un de ses airs préférés. Je me suis renseigné : elle demande quelquefois à écouter *Le Gai Laboureur*, de Schumann. Tu l'as en tête ? On devrait quand même le travailler, au cas où. » Pensif, il tira quelques notes de sa cruche.

« Je ne peux pas, dit brusquement Ian. Je laisse tomber. C'est trop important pour moi. Ça va mal tourner ; on ne va pas lui plaire et ils vont nous jeter dehors. Et on ne pourra jamais oublier ça.

— Écoute, commença Al. On a le papoula. Et ça nous donne un... » Il s'interrompit. Sur le trottoir venait un homme âgé, voûté, qui portait un coûteux costume en fibres naturelles à fines rayures bleues. « Ça alors, fit Al, mais c'est Luke en personne ! » Il prit l'air craintif. « Je ne l'ai vu que deux fois dans ma vie. Il doit y avoir un problème.

— Rappelle le papoula », dit Ian. La créature se dirigeait déjà vers Luke le Timbré.

L'air affolé, Al lança : « Je n'y arrive pas. » Il manipula frénétiquement le boîtier de commande fixé à sa taille. « Il ne répond plus. »

Le papoula arriva à la hauteur de Luke, qui se baissa pour le ramasser et poursuivit son chemin vers le parc, le papoula sous le bras.

« Il m'en a repris le contrôle », dit Al. Hébété, il regarda son frère.

La porte du petit pavillon s'ouvrit et Luke le Timbré entra. « On nous informe que vous avez utilisé cette créature pendant votre temps libre et à des fins personnelles, dit-il à Al d'une voix basse et rocailleuse. On vous l'avait pourtant interdit ; les papoulas appartiennent aux plates-formes, pas aux opérateurs.

— Écoutez, ce n'est pas si..., fit Al.

— Vous mériteriez d'être renvoyé, coupa Luke. Mais comme vous êtes bon vendeur, je vais donc vous garder. En revanche, à partir de maintenant il va falloir assurer vos quotas sans assistance. » Resserrant son emprise sur le papoula, il fit mine de tourner les talons. « Mon temps est précieux ; il faut que j'y aille. » Il repéra la cruche d'Al. « Ça n'est pas un instrument de musique, ça ; c'est fait pour contenir du whisky. »

Al dit : « Ça nous fait de la publicité. Si nous jouons devant Nicole, le réseau des parcs à guimbardes va y gagner en prestige, vous ne croyez pas ?

— Je ne recherche pas le prestige, dit Luke, qui s'arrêta à la porte. Que Nicole Thibodeaux se débrouille sans moi ; qu'elle mène sa société à sa guise ; moi, je veux diriger mes parcs comme je l'entends. On se laisse mutuellement tranquilles et c'est très bien ainsi. Ne vous mêlez pas de cette histoire. Dites à Slezak que vous ne pourrez pas vous produire, finalement, et oubliez tout ça ; aucun adulte sain d'esprit n'irait souffler dans une bouteille vide, de toute façon.

— C'est là que vous vous trompez, dit Al. L'art peut

se trouver dans les aspects les plus prosaïques de la vie — ces cruches, par exemple. »

Luke se nettoya les dents à l'aide d'un cure-dents en argent puis déclara : « Vous n'avez plus de papoula pour attendrir la Première Famille. Réfléchissez... vous espérez vraiment avoir du succès sans lui ? »

Après un bref silence, Al dit à Ian : « Il a raison. C'est le papoula qui a tout fait. Mais... zut, tiens ! Allons-y quand même.

— Vous avez du cran, dit Luke. À défaut de bon sens. Malgré tout, je ne peux m'empêcher de vous admirer. Je comprends pourquoi vous êtes un vendeur de premier ordre ; vous ne lâchez jamais le morceau. Bon, prenez le papoula le soir où vous jouerez à la Maison-Blanche et renvoyez-le-moi le lendemain matin. » Il lança la ronde créature insectoïde à Al, qui la rattrapa et la serra contre sa poitrine comme un gros oreiller. « Ça fera peut-être de la publicité pour les parcs, en effet, ajouta Luke. Mais laissez-moi vous dire une chose. Nicole ne nous aime pas. Trop de gens lui ont glissé entre les mains grâce à nous. Nous sommes le talon d'Achille de l'édifice construit par maman, et maman le sait fort bien. » Un grand sourire dévoila ses dents en or.

« Merci, Luke, dit Al.

— Toutefois, c'est moi qui contrôlerai le papoula, dit Luke. À distance. Je suis un peu plus doué que vous ; après tout, c'est moi qui les ai *fabriqués.*

— Entendu, dit Al. J'aurai les mains occupées à jouer, de toute façon.

— Oui, dit Luke, il vous faudra vos deux mains, pour cette bouteille. »

Ian perçut dans le ton de Luke une nuance qui le mit mal à l'aise. Qu'est-ce qu'il mijote ? se demanda-t-il.

Mais son frère et lui n'avaient pas le choix ; il faudrait bien que le papoula travaille pour eux. Et Luke saurait le manipuler efficacement ; il avait déjà prouvé sa supériorité sur Al un instant plus tôt, et, comme il disait, Al serait occupé à souffler. Pourtant...

« Luke le Timbré, dit Ian, avez-vous déjà rencontré Nicole ? » C'était une idée subite, une intuition inattendue.

« Mais certainement, dit Luke d'une voix ferme. Il y a des années. J'avais un théâtre de marionnettes ; mon père et moi allions un peu partout présenter notre spectacle. Nous avons fini par jouer à la Maison-Blanche.

— Comment ça s'est passé ? » demanda Ian.

Après un silence, Luke déclara : « Elle n'a pas aimé. Elle a trouvé nos marionnettes indécentes. »

Et maintenant, tu la hais, comprit Ian. Tu ne lui as jamais pardonné. « C'était vrai ? s'enquit-il.

— Mais non, répondit Luke. Bon, d'accord, parmi les numéros il y avait un strip-tease ; nous avions des marionnettes danseuses de music-hall. Mais personne ne s'en était encore plaint. Mon père l'a très mal pris, mais moi, ça ne m'a pas tracassé outre mesure. » Son visage était impassible.

Al demanda : « Et Nicole était déjà Première Dame ?

— Oh ! oui, dit Luke. Elle est en fonctions depuis soixante-treize ans ; vous ne le saviez pas ?

— C'est impossible, firent Al et Ian, presque en chœur.

— C'est pourtant vrai. C'est une femme vraiment âgée maintenant. Elle est grand-mère. Mais elle présente encore bien. Vous verrez. »

Stupéfait, Ian lâcha : « Mais, à la télé...

— Oh ! fit Luke. À la télé, elle a l'air d'avoir vingt

ans. Mais ouvrez un livre d'histoire ; faites le calcul. Les faits sont là. »

Les faits, s'avisa Al, ne signifient plus rien dès lors qu'on constate tous les jours l'évidence : elle a toujours l'air aussi jeune.

Vous mentez, Luke, pensa-t-il. Nous savons tous la vérité. Mon frère l'a vue ; il l'aurait dit, si elle était vraiment comme ça. Non, vous la détestez, voilà tout. Ébranlé, il tourna le dos à Luke. Il ne voulait plus rien avoir à faire avec cet homme. Soixante-treize ans d'exercice... Si c'était vrai, Nicole en avait presque quatre-vingt-dix. L'idée le fit frémir ; il la chassa de ses pensées. Du moins il essaya.

« Bonne chance, les gars », fit Luke en mâchouillant son cure-dents.

Dans son sommeil, Ian Duncan fit un rêve épouvantable. Une vieille femme hideuse aux griffes verdâtres et cannelées cherchait à s'emparer de lui et lui demandait en gémissant de faire quelque chose pour elle — il ne savait pas quoi parce que ses mots formaient une bouillie de plus en plus indistincte dans sa bouche aux dents ébréchées, pour s'écouler sur son menton en un filet de salive. Il se débattit...

« Bon Dieu, fit la voix de Al. Réveille-toi ; il faut mettre la plate-forme en route ; on est censés être à la Maison-Blanche dans trois heures. »

Nicole, comprit Ian, encore tout ensommeillé, en se mettant sur son séant. C'est d'elle que je rêvais ; elle était très vieille, toute ratatinée, mais c'était bien elle.

« O.K., dit-il, quittant tant bien que mal son lit de camp. Écoute, Al. Et si elle est aussi vieille que le prétend Luke le Timbré ? Qu'est-ce qu'on fera ?

— On jouera. Comme prévu.

— Je n'y survivrai pas, dit Ian. Mes capacités d'adaptation sont trop fragiles. Cette histoire est en train de tourner au cauchemar ; Luke contrôle le papoula, Nicole est vieille... à quoi ça rime de continuer ? On pourrait faire machine arrière, se contenter de la voir à la télé, et en vrai une seule fois dans notre vie, même de très loin, comme toi à Shreveport. Ça me suffirait, maintenant. Je ne veux que cela : l'image. D'accord ?

— Non, fit Al avec obstination. Il faut aller jusqu'au bout. Rappelle-toi, tu peux toujours émigrer sur Mars. »

La plate-forme s'était élevée dans les airs ; déjà elle se dirigeait vers la côte est, vers Washington, D.C.

Quand ils se posèrent, Slezak, un petit bonhomme rondouillard et affable, les accueillit chaleureusement ; il leur serra la main et ils se dirigèrent vers l'entrée de service de la Maison-Blanche. « Votre programme est ambitieux, babilla-t-il, mais si vous êtes à la hauteur, c'est parfait pour moi, pour nous, je veux dire, la Première Famille ; et en particulier la Première Dame elle-même, qui manifeste un enthousiasme actif pour toutes les formes d'art originales. D'après vos profils biographiques, vous avez tous les deux étudié de près les anciens enregistrements sur disque datant du début des années 1920, les disques d'orchestres de cruches ayant survécu à la guerre de Sécession ; vous êtes donc d'authentiques cruchistes, sauf que, bien sûr, vous faites du classique, pas du folk.

— Oui, monsieur, dit Al.

— Pourriez-vous malgré tout ajouter un morceau de folk ? » demanda Slezak comme ils passaient devant les gardes flanquant la porte de service avant d'entrer dans la Maison-Blanche par un long couloir moquetté et ponctué de chandelles artificielles à intervalles réguliers. « Par exemple, *Rockabye My Sarah Jane*. Vous avez ça dans votre répertoire ? Sinon...

— Nous l'avons, coupa Al. Nous le rajouterons vers la fin.

— Bien, dit Slezak en les poussant doucement devant lui. Maintenant, puis-je vous demander ce que c'est que cette créature ? » Il considéra le papoula sans grand enthousiasme. « C'est vivant ?

— C'est notre animal fétiche, dit Al.

— Un porte-bonheur ? Une mascotte ?

— Exactement, dit Al. Il nous aide à dominer l'anxiété. » Il tapota la tête du papoula. « Et il fait partie du numéro ; il danse pendant que nous jouons. Comme un singe, vous voyez.

— Ça alors ! » fit Slezak. Son enthousiasme revenait. « Je comprends, maintenant. Nicole sera enchantée ; elle adore les choses douces et pelucheuses. » Il tint une porte ouverte devant eux.

Elle était là.

Comment Luke a-t-il pu se tromper à ce point ? se demanda Ian. Elle était encore plus adorable qu'à la télé, et beaucoup plus tangible ; c'était la principale différence, cette fabuleuse authenticité, cette réalité sensible. On percevait nettement la différence. Pantalon en coton bleu délavé, mocassins, chemisier blanc négligemment boutonné à travers lequel il vit — ou s'imagina voir — sa peau douce et bronzée... Comme elle faisait peu de manières ! Aucune affectation, nulle mise en scène. Ses cheveux coupés court exposaient aux regards un cou et des oreilles au galbe admirable. Et comme elle était jeune ! Elle ne paraissait même pas vingt ans. Et quelle vitalité ! Décidément, la télé ne rendait pas cette aura de formes et de couleurs délicates.

« Nicky, dit Slezak, voici les cruchistes classiques. »

Elle leur coula un regard en biais ; elle était en train de lire le journal. Elle leur sourit. « Bonjour. Avez-vous pris le petit déjeuner ? Nous pouvons vous servir du bacon canadien, des petits pains et du café, si vous le désirez. » Bizarrement, sa voix ne semblait pas émaner d'elle, mais se matérialiser à hauteur de plafond. Ian leva les yeux, aperçut une batterie de haut-parleurs, puis se rendit compte qu'une vitre les séparait de Nicole, sans doute par mesure de sécurité. Il fut déçu mais comprit cependant que c'était nécessaire. Si quelque chose lui arrivait...

« Nous avons mangé, Mrs. Thibodeaux, répondit Al. Merci. » Lui aussi regardait les haut-parleurs.

*Nous avons mangé Mrs. Thibodeaux,* délira Ian. Mais n'est-ce pas plutôt le contraire ? N'est-ce pas cette femme en pantalon de coton bleu et chemisier qui nous dévore ?

À ce moment-là, le président Taufic Negal, un homme mince, brun et élégant, entra derrière Nicole. Celle-ci lui dit : « Regarde, Taffy, ils ont un papoula ! Ça promet d'être amusant.

— Effectivement, fit le Président, tout sourire.

— Je peux le voir ? demanda Nicole à Al. Envoyez-le-moi. » Elle fit un signe et la vitre se releva.

Al lâcha le papoula, qui détala en direction de Nicole et passa sous la barrière de sécurité ; il sauta droit dans ses mains vigoureuses et elle le considéra intensément.

« Zut, fit-elle, il n'est pas vivant ; ce n'est qu'un jouet.

— Aucun d'entre eux n'a survécu, dit Al. Pour autant que nous sachions. Mais celui-ci est un modèle authentique, élaboré à partir de restes trouvés sur Mars. » Il fit un pas vers elle...

La barrière de verre se remit en place. Séparé du papoula, Al resta bouche bée, l'air stupide et visiblement contrarié. Puis il porta instinctivement la main à sa taille, où se trouvait la télécommande. L'espace d'un instant rien ne se passa. Enfin le papoula s'agita; il glissa des mains de Nicole et sauta à terre. Les yeux brillants, Nicole poussa une exclamation de stupéfaction.

« Tu le veux, chérie? demanda son mari. Nous pouvons certainement t'en procurer un, voire plusieurs.

— Qu'est-ce qu'il sait faire? » demanda Nicole à Al.

Slezak s'anima. « Il danse, Madame, quand ces deux-là jouent; il a le rythme dans le sang — n'est-ce pas, Mr. Duncan? Peut-être pourriez-vous jouer quelque chose maintenant, un morceau court, pour montrer à Mrs. Thibodeaux ce que vous savez faire. » Il se frotta les mains.

Al et Ian s'entre-regardèrent.

« C... certainement, dit Al. Euh, peut-être une petite pièce de Schubert, notre arrangement de *La Truite*. Allez, Ian, en piste. » Il déboutonna sa mallette et en sortit sa cruche, qu'il tint un instant d'un air embarrassé. Ian l'imita. « Al Duncan, votre serviteur, à la première cruche, annonça Al. Et voici mon frère Ian, seconde cruche. Nous allons vous proposer un pot-pourri de succès classiques, en commençant par un peu de Schubert. » À son signal, tous deux se mirent à jouer.

Nicole gloussa.

C'est raté, se dit Ian. Bon sang, ce que je redoutais est arrivé; nous sommes ridicules. Il s'arrêta mais Al, lui, continua, les joues cramoisies et gonflées. Il paraissait ne pas se rendre compte que, une main devant la bouche, Nicole tentait de dissimuler son hilarité devant le spectacle de leurs efforts. Al poursuivit seul jusqu'à la fin du morceau puis, à son tour, éloigna sa cruche de ses lèvres.

« Le papoula n'a pas dansé, dit Nicole, d'une voix aussi unie que possible. Il n'a pas esquissé le moindre pas — pourquoi ? » Elle repartit d'un fou rire inextinguible.

Al déclara d'une voix inexpressive : « Je... ne le contrôle pas ; ce n'est pas moi qui ai la télécommande. » Puis, s'adressant au papoula : « Allez, danse.

— Incroyable ! fit Nicole. Regarde, dit-elle à son mari, il doit le supplier de danser. Danse, quel que soit ton nom, petit papoula de Mars, ou plutôt... imitation de petit papoula. » Elle poussa doucement le papoula de la pointe de son mocassin, essayant de le faire bouger. « S'il te plaît, jolie petite créature antique synthétique pleine de fils. Vas-y. »

Le papoula lui sauta dessus. Et la mordit.

Nicole hurla. Une détonation sèche retentit derrière elle, et le papoula explosa ; il n'en resta bientôt plus qu'un tourbillon de particules. Invisible jusqu'alors, un agent de sécurité fit son apparition et, tenant son fusil à deux mains, examina attentivement Nicole puis les particules en suspension dans l'air. Son expression était calme, mais ses mains et son fusil tremblaient. Al entama tout bas une litanie de jurons, toujours les mêmes. Il semblait ne plus jamais devoir s'arrêter.

« C'est Luke, dit-il alors à son frère. C'est lui qui a fait ça. Par vengeance. Nous sommes foutus. » Sombre, comme à bout de forces, il entreprit de remballer sa cruche en enchaînant mécaniquement les gestes.

« Vous êtes en état d'arrestation », annonça un second garde de la Maison-Blanche qui surgit derrière eux et les mit en joue.

« Certes, dit Al avec indifférence en hochant la tête et

en vacillant sur ses pieds d'un air absent. Puisque nous n'y sommes pour rien, arrêtez-nous donc. »

Nicole se remit debout avec l'aide de son mari puis vint vers Al et Ian. « Est-ce qu'il m'a mordue parce que j'ai ri ? » demanda-t-elle d'une voix douce.

Slezak s'épongeait le front. Muet, il regardait les autres sans les voir.

« Je suis désolée, dit Nicole. Je l'ai mis en colère, n'est-ce pas ? C'est dommage ; nous aurions apprécié votre numéro.

— C'est Luke qui a fait ça, dit Al.

— "Luke". » Nicole le dévisagea. « Luke le Timbré, vous voulez dire. Le propriétaire de ces affreux parcs à guimbardes qui vont et viennent à la limite de la légalité. Oui, je vois de qui vous parlez ; je me souviens de lui. » Elle se tourna vers son mari. « Autant le faire arrêter lui aussi.

— Comme tu voudras, déclara celui-ci en griffonnant sur un bloc-notes.

— Toute cette histoire de cruches n'était qu'une couverture, c'est cela ? En fait, vous vouliez tenter quelque chose contre nous, reprit Nicole. Un crime contre l'État. Il va falloir reconsidérer toute la politique d'accueil des artistes... Peut-être est-ce une erreur. C'est la porte ouverte à ceux qui nourrissent à notre égard des intentions hostiles. Je suis désolée. » Elle semblait triste et pâle à présent ; elle croisa les bras et resta debout à se balancer d'avant en arrière, perdue dans ses pensées.

« Croyez-moi, Nicole », commença Al.

Comme si elle se parlait à elle-même, elle dit : « Je ne suis pas Nicole ; ne m'appelez pas comme ça. Nicole Thibodeaux est morte il y a des années. Je suis Kate Rupert, la quatrième à la remplacer. Je ne suis qu'une actrice ressemblant suffisamment à la Nicole d'origine pour assumer cette tâche, et parfois, quand il se passe une chose de ce genre, je regrette d'occuper ces fonctions. Je n'ai aucune autorité réelle. Il y a un conseil qui gouverne quelque part... Je n'ai jamais vu ses membres. » Puis, s'adressant à son mari : « Ils sont déjà au courant, n'est-ce pas ?

— En effet, répondit-il, ils ont été informés.

— Vous voyez, dit-elle à Al, même le Président a plus de réel pouvoir que moi. » Elle sourit faiblement.

Al demanda : « Combien de fois a-t-on essayé d'attenter à votre vie ?

— Six ou sept, dit-elle. Toujours pour des motifs psychologiques. Complexe d'Œdipe mal surmonté, quelque chose comme ça. Ça ne m'intéresse pas vraiment. » Elle se tourna vers son mari. « Je pense vraiment que ces deux hommes... » Elle désigna Al et Ian. « Ils ne semblent pas savoir ce qui se passe ; peut-être sont-ils innocents. » Elle reprit à l'intention de son mari, de Slezak et des agents de sécurité : « Faut-il vraiment les supprimer ? On pourrait se contenter d'éradiquer une partie de leurs cellules mémorielles puis les laisser partir. Ce serait bien suffisant, non ? »

Son mari haussa les épaules. « Si c'est ce que tu veux...

— Oui, dit-elle. Je préférerais. Cela me faciliterait la tâche. Conduisez-les à l'hôpital de Bethesda et continuons sur notre lancée ; donnons audience aux artistes suivants. »

Un garde poussa Ian dans le dos à l'aide de son fusil. « Prenez le couloir, s'il vous plaît.

— D'accord », murmura Ian en cramponnant sa cruche. Mais que se passe-t-il ? se demanda-t-il. Je ne comprends pas bien. Cette femme n'est pas Nicole et, pis encore, il n'existe aucune Nicole ; rien que l'image télé, l'illusion ; et derrière, d'autres gens qui gouvernent. Une sorte de conseil. Mais qui sont-ils, comment ont-ils accédé au pouvoir ? Le saurons-nous jamais ? Nous avons fait beaucoup de chemin tous les deux ; nous sommes sur le point de voir l'envers du décor. La réalité derrière l'illusion... Ne peuvent-ils pas nous dire le reste ? Quelle différence cela ferait-il à présent ?

« Adieu, lui disait Al.

— Quoi ? fit-il, horrifié. Pourquoi dis-tu ça ? Ils vont bien nous relâcher, non ? »

Al déclara : « Nous ne nous souviendrons pas l'un de l'autre. Crois-moi sur parole ; on ne nous permettra pas de conserver ce genre de liens. Alors... » Il tendit la main. « Alors, salut, Ian. On est arrivés jusqu'à la Maison-Blanche. Tu ne te souviendras pas de ça non plus, mais c'est vrai ; on a réussi. » Il lui adressa un pauvre sourire.

« En avant », dit le garde.

Tenant toujours leurs cruches, ils longèrent le couloir menant à la sortie et à l'ambulance noire qui les y attendait.

Il faisait nuit. Ian Duncan se retrouva à l'angle d'une rue déserte ; tremblant de froid, il cligna des yeux sous l'éblouissante lumière blanche d'un quai de monorail urbain. Qu'est-ce que je fais là ? se demanda-t-il, désorienté. Il consulta sa montre-bracelet ; il était huit heures. Je suis censé assister à la réunion de la Toussaint, non ? pensa-t-il, tout étourdi.

Je ne peux pas en rater encore une, constata-t-il. Deux de suite... ça fait une épouvantable amende ; la ruine assurée. Il se mit à marcher.

Familier, l'Abraham Lincoln dressait droit devant lui ses tours et ses mille fenêtres ; ce n'était pas très loin. Il partit d'un pas décidé en respirant profondément et en s'efforçant de conserver une allure régulière. Ça doit être fini, se dit-il. Les lumières du grand auditorium central, en sous-sol, étaient éteintes. Zut, se désespéra-t-il.

« La Toussaint, c'est terminé ? » demanda-t-il au portier quand il entra dans le hall en brandissant sa carte d'identification.

« Vous avez l'esprit un peu embrouillé, Mr. Duncan, dit le portier en abaissant son arme. La Toussaint, c'était hier soir ; nous sommes vendredi. »

Il a dû se passer quelque chose, songea Ian. Mais il ne pipa mot ; il se borna à hocher la tête et se précipita vers l'ascenseur.

Quand il en ressortit à son étage, une porte s'ouvrit et une silhouette furtive lui fit signe. « Hé ! Duncan. »

C'était Corley. Prudemment, car la rencontre pouvait se révéler désastreuse, Ian s'approcha. « Qu'y a-t-il ?

— Une rumeur, dit Corley d'une voix rapide et apeurée. À propos de votre dernier test *polrel* — une irrégularité quelconque. Ils vont vous réveiller à cinq ou six heures demain matin et vous balancer un questionnaire surprise. » Il regarda à droite, puis à gauche. « Revoyez la fin des années 1980, et en particulier les mouvements religio-collectivistes. C'est compris ?

— D'accord, dit Ian avec gratitude. Merci beaucoup. À charge de rev... » Mais il s'interrompit car Corley s'était hâté de rentrer chez lui et de refermer la porte ; Ian se retrouva seul.

Vraiment gentil de sa part, se dit-il en poursuivant son chemin. Il m'a sans doute sauvé la peau et évité l'éjection définitive.

Une fois chez lui, il s'installa confortablement, tous ses ouvrages de référence sur l'histoire politique des États-Unis étalés autour de lui. Je vais étudier toute la nuit, décida-t-il. Parce qu'il faut que je réussisse ce questionnaire ; je n'ai pas le choix.

Pour rester éveillé, il alluma la télé. La présence chaleureuse et familière de la Première Dame s'anima et emplit progressivement la pièce.

« ... Quant à notre programme musical de ce soir, disait-elle, nous entendrons un quatuor de saxophones qui jouera des thèmes d'opéras de Wagner, notamment mon préféré : *Die Meistersinger.* Je suis sûre que nous trouverons tous l'expérience enrichissante. Après cela, mon époux le Président et moi-même avons fait en sorte de vous présenter une fois de plus un de vos vieux chouchous, le violoncelliste de renommée mondiale Henri LeClercq, qui interprétera Jerome Kern et Cole Porter. » Elle sourit et, derrière sa pile de livres de référence, Ian Duncan lui rendit son sourire.

Je me demande l'effet que ça me ferait de jouer à la Maison-Blanche, se dit-il. De me produire devant la Première Dame. Dommage que je n'aie jamais appris à jouer d'un instrument de musique. Ni à écrire des poèmes, à danser ou à chanter — rien. Aucun espoir pour moi ? Ah, si j'avais été issu d'une famille de musiciens... Si j'avais eu un père ou des frères pour m'apprendre...

Morose, il griffonna quelques notes sur l'ascension du Parti fasciste-chrétien français en 1975. Puis, attiré par le poste de télé, comme toujours, il posa son stylo et fit face à l'écran. Nicole exhibait à présent un carreau de faïence de Delft qu'elle avait déniché, expliqua-t-elle, dans une petite boutique du Vermont. Superbes couleurs. Il regarda, fasciné, ses doigts puissants et fins caresser la surface luisante du carreau.

« Regardez, murmurait Nicole de sa voix voilée. N'avez-vous pas envie d'en avoir un vous aussi ? N'est-il pas ravissant ?

— Si, dit Ian Duncan.

— Combien d'entre vous ont envie d'en voir un comme ça un jour ? demanda Nicole. Levez la main. »

Ian leva la main, plein d'espoir.

« Ça fait du monde, dit Nicole, avec son fameux sourire familier et radieux. Ma foi, peut-être organiserons-nous un de ces jours une autre visite de la Maison-Blanche. Ça vous plairait ? »

Sautillant sur son siège, Ian dit : « Oui, ça me plairait. »

On aurait dit qu'elle lui souriait à lui et à lui seul. Il sourit à son tour. Puis, à contrecœur, l'impression d'être écrasé sous un vaste poids, il retourna à ses livres. Et aux dures réalités de son interminable vie quotidienne.

Quelque chose heurta la fenêtre de son appartement et une voix le héla faiblement. « Ian Duncan, je n'ai pas beaucoup de temps. »

Il se retourna brusquement et aperçut dehors, dans le noir, une forme ovoïde instable qui planait dans l'air. À l'intérieur, un homme lui faisait énergiquement signe tout en continuant de l'appeler. L'œuf émit un faible teuf-teuf : ses propulseurs tournaient au ralenti ; l'homme ouvrit l'écoutille d'un coup de pied puis en sortit.

Déjà le questionnaire surprise ? se demanda Ian Duncan. Il se leva, totalement désemparé. C'est trop tôt... Je ne suis pas prêt.

Irrité, l'homme emballa les propulseurs jusqu'à ce que leur jet de feu blanc touche l'immeuble ; tout trembla dans la pièce et des fragments de plâtre se détachèrent. La fenêtre céda sous la vague de chaleur. De l'autre côté de la brèche l'homme lança un nouvel appel, s'efforçant de mobiliser les facultés de Ian Duncan.

« Hé ! Duncan ! Dépêchez-vous ! J'ai déjà votre frère ; il est en route sur un autre vaisseau ! » L'homme, assez âgé, vêtu d'un costume chic en fibre naturelle et à rayures bleues, se glissa avec dextérité dans la pièce, les pieds en avant. « Il faut qu'on se dépêche si on veut y arriver. Vous ne vous souvenez pas de moi ? Al non plus. Ça, je leur tire mon chapeau. »

Ian Duncan le dévisagea, se demandant qui il était, qui était Al et qu'est-ce qui lui arrivait.

« Les psychologues de maman ont fait du bon boulot avec vous, haleta l'homme d'âge mûr. Bethesda doit être un sacré endroit. J'espère qu'on ne m'y emmènera jamais. » Il vint saisir Ian par l'épaule. « La police est en train de fermer tous mes parcs à guimbardes ; il faut que je foute le camp sur Mars et je vous emmène avec moi. Essayez de vous ressaisir ; je suis Luke le Timbré — vous ne vous souvenez pas de moi pour l'instant, mais ça reviendra une fois sur Mars, quand vous aurez revu votre frère. Allez. » Luke le poussa vers la brèche qui avait été une fenêtre, puis vers le véhicule — on appelait ça une guimbarde, réalisa Ian — qui flottait juste derrière.

« O.K. », fit Ian, se demandant ce qu'il devait emporter. De quoi aurait-il besoin sur Mars ? D'une brosse à dents, d'un pyjama, d'un gros manteau ? Il parcourut frénétiquement son appartement du regard — pour la toute dernière fois. Au loin retentissaient des sirènes de police.

Luke remonta en toute hâte dans la guimbarde. Ian le suivit et accepta la main qu'il lui tendait. Le plancher de la guimbarde grouillait de créatures insectoïdes orange vif qui tournèrent vers lui des antennes mouvantes. Des papoulas, se rappela-t-il, ou quelque chose comme ça.

Tout va bien, à présent, pensaient les papoulas. Ne vous inquiétez pas ; Luke le Timbré vous a récupéré juste à temps, voire *in extremis.* Et maintenant, détendez-vous.

« D'accord », fit Ian. Il se laissa aller contre la paroi de la guimbarde et se décontracta ; pour la première fois depuis des années, il se sentait en paix.

Le vaisseau prit son essor dans le vide nocturne, vers la planète neuve qui l'attendait tout là-bas.

*L'Histoire qui met fin*
*à toutes les histoires*
*pour l'anthologie d'Harlan Ellison*
Dangereuses visions

*Titre original :*

THE STORY TO END ALL STORIES FOR HARLAN

Dans une société ravagée par la guerre et les bombes à hydrogène, les jeunes femmes nubiles se rendent dans un zoo futuriste où elles ont, dans les cages, des rapports sexuels avec diverses formes de vie contrefaites, non humaines. Dans le cas qui nous préoccupe, une jeune femme rafistolée à partir des corps abîmés de plusieurs autres a des rapports sexuels avec une extraterrestre femelle, là, dans la cage, à la suite de quoi, grâce à la science du futur, elle conçoit. L'enfant naît, la jeune femme et la femelle de la cage se battent pour se l'approprier. L'humaine l'emporte et dévore promptement le rejeton — cheveux, dents, orteils, tout. Là-dessus, elle se rend compte que c'était Dieu.

*Le cas Rautavaara*

*Titre original :*

RAJTAVAARA'S CASE

Les trois techniciens du globe flottant chargés de contrôler les fluctuations des champs magnétiques interstellaires s'en sortaient fort bien ; là-dessus, ils moururent.

Des fragments de basalte se déplaçant à une vitesse phénoménale par rapport au globe percèrent leur barrière protectrice et vidèrent leur réserve d'air. Les deux hommes furent lents à réagir ; ils ne firent rien du tout. La jeune technicienne originaire de Finlande, Agneta Rautavaara, parvint, elle, à coiffer son casque de secours dans les temps ; malheureusement les tuyaux s'emmêlèrent ; la première inspiration lui fut fatale ; elle connut une mort navrante en s'étouffant avec son propre vomi. Ainsi s'acheva la mission de contrôle assignée à EX208, le globe flottant. Encore un mois et ces techniciens auraient été relevés et renvoyés sur Terre.

Nous ne pouvions pas nous rendre sur place à temps pour sauver ces trois Terriens, mais nous y avons tout de même dépêché un robot pour voir s'il était possible d'en régénérer un, voire plusieurs. Les Terriens ne nous aiment guère, mais en l'occurrence le globe flottant opérait dans nos parages. Il existe un code de bonne conduite qui s'applique dans ce genre de circonstances dramatiques, et il vaut pour toutes les espèces de la galaxie. Nous n'avions nulle envie de venir en aide à des Terriens, mais le règlement, c'est le règlement.

Ce dernier exigeait que nous tentions de ramener à la vie les trois techniciens, mais nous avons laissé un robot endosser cette responsabilité et telle fut peut-être notre erreur. Par ailleurs, le règlement nous enjoignait d'informer le plus proche vaisseau terrien et nous avons préféré n'en rien faire. Je ne tenterai pas de justifier ici cette omission, ni d'analyser ce que fut notre raisonnement sur le moment.

Le robot nous a signalé qu'il ne décelait aucune activité encéphalique chez les deux individus de sexe masculin et que leur tissu cérébral s'était irrémédiablement dégradé. Chez Agneta Rautavaara, en revanche, on détectait une onde cérébrale juste perceptible. Aussi, dans le cas Rautavaara, le robot proposait-il une tentative de restauration. Néanmoins, ne pouvant prendre de décision par lui-même, il nous a contactés. Nous lui avons donné le feu vert. Par conséquent, la faute — la culpabilité, pour ainsi dire — nous en incombe. Si nous avions été sur place, nous y aurions réfléchi à deux fois. Nous assumons pleinement notre responsabilité.

Une heure plus tard, le robot signalait qu'il avait restauré de façon significative l'activité cérébrale de Rautavaara : il avait alimenté son cerveau grâce au sang riche en oxygène issu de son cadavre. L'oxygène était fourni par le robot, mais pas les éléments nutritifs, dont nous lui avons ordonné d'entreprendre la synthèse en recyclant le corps de Rautavaara pour en extraire les matières premières. C'est sur ce point que les autorités terriennes devaient plus tard exprimer les plus vives objections. Mais nous ne disposions d'aucune autre source de nutriments. Étant nous-mêmes constitués de plasma, nous ne pouvions proposer nos propres organismes.

L'objection selon laquelle nous aurions pu utiliser les deux autres cadavres ne fut pas convenablement formulée lors des débats. En bref, nous avions le sentiment, fondé sur les rapports du robot, qu'ils étaient trop contaminés par la radioactivité, donc dangereux pour Rautavaara ; les nutriments dérivés n'auraient pas tardé à intoxiquer le cerveau. Si vous n'admettez pas notre logique, cela nous importe peu ; telle était la situation que nous avons interprétée de notre point de vue, si éloigné soit-il. Voilà pourquoi je dis que notre véritable erreur a été de confier la tâche à un robot au lieu de nous déplacer nous-mêmes. Si vous souhaitez nous mettre en cause, c'est de cela que vous devez nous accuser.

Nous avons demandé au robot de se connecter au cerveau de Rautavaara et de nous transmettre ses pensées afin que nous puissions estimer l'état de ses neurones.

Nous en avons retiré une impression encourageante. C'est à ce moment-là que nous avons prévenu les autorités terriennes. Nous les avons informées de l'accident subi par EX208 ; nous les avons informées que deux des techniciens — ceux de sexe masculin — étaient irrémédiablement morts ; nous les avons informées que, grâce à notre célérité, la personne de sexe féminin montrait, elle, une activité encéphalique stable, c'est-à-dire que nous maintenions son cerveau en vie.

« Son *quoi ?* s'exclama l'opérateur radio terrien en réponse à notre appel.

— Nous lui fournissons des nutriments dérivés de son propre corps, et...

— Oh, non ! fit l'opérateur radio. On ne peut pas alimenter son cerveau comme ça. À quoi sert un cerveau tout seul ? En tant que tel ? »

Nous : « À penser.

— Bon, on prend le relais, dit l'opérateur radio. Mais il y aura enquête. »

Nous : « Avons-nous eu tort de sauver son cerveau ? Après tout, c'est le siège de la psyché, de la personnalité. Le corps physique n'est que l'intermédiaire par lequel le cerveau entre en contact avec...

— Donnez-moi la position d'EX208, dit l'opérateur radio. On va y envoyer immédiatement un vaisseau. Vous auriez dû nous avertir tout de suite, avant d'entreprendre vous-mêmes le sauvetage. Vous autres Approximations, vous ne pouvez *pas* comprendre les formes de vie somatiques. »

Il est offensant pour nous de nous entendre appeler « Approximations ». Cette insulte terrienne fait allusion à notre système d'origine, Proxima du Centaure. Elle implique que nous ne sommes pas authentiques, que nous nous contentons de simuler la vie.

Telle a été notre récompense dans le cas Rautavaara. La raillerie. Et il y a bel et bien eu enquête.

Dans les profondeurs de son cerveau lésé, Agneta Rautavaara perçut un goût de vomi aigre et se rétracta sous l'effet de la frayeur et du dégoût. Tout autour d'elle, l'EX208 était en miettes. Elle distingua Travis et Elms ; ils avaient été déchiquetés et leur sang avait gelé. Une couche de glace tapissait l'intérieur du globe. *Plus d'air, plus de chauffage... Comment se fait-il que je sois encore en vie ?* se demanda-t-elle. Elle leva les mains et toucha son visage — ou plutôt *voulut* toucher son visage. *Mon casque*, se dit-elle. *J'ai eu le temps de l'enfiler.*

Alors la glace, qui était partout, commença à fondre. Les bras et les jambes tranchés de ses deux compagnons rejoignirent leurs corps. Les fragments de basalte enchâssés dans la coque du globe se détachèrent et s'envolèrent.

*Le temps s'écoule à l'envers,* s'avisa Agneta. *Bizarre !*

L'air revint ; elle entendit la tonalité sourde de l'indicateur sonore. Puis, progressivement, ce fut le tour de la température. L'air sonné, Travis et Elms se remirent debout. Ils regardèrent autour d'eux, ahuris. Elle eut envie de rire, mais la situation était trop grave. Apparemment, la puissance de l'impact avait provoqué une perturbation temporelle locale.

« Asseyez-vous tous les deux », dit-elle.

Travis répondit d'une voix pâteuse : « Je... oui, tu as raison. » Il s'assit à sa console et appuya sur un bouton : il se retrouva solidement sanglé. Elms, lui, resta debout.

« Nous avons été heurtés par d'assez grosses particules, dit Agneta.

— Oui, fit Elms.

— Assez grosses et assez puissantes pour que l'impact perturbe le temps, poursuivit Agneta. Alors nous sommes revenus avant l'événement.

— Les champs magnétiques sont en partie responsables », dit Travis. Il se frotta les yeux ; ses mains tremblaient. « Enlève ton casque, Agneta. Tu n'en as pas besoin.

— Si : l'impact va avoir lieu », objecta-t-elle.

Les deux hommes lui jetèrent un coup d'œil.

« Nous allons revivre l'accident, dit-elle.

— Merde, fit Travis. Je vais sortir l'EX de là. » Il pianota sur sa console. « Ça passera à côté. »

Agneta ôta son casque. Puis elle se débarrassa de ses bottes, les ramassa... et là, elle vit le Personnage.

Le Personnage se tenait derrière eux trois. C'était le Christ.

« Regardez », dit-elle à Travis et à Elms.

Les deux autres obtempérèrent.

Le Personnage portait la robe blanche traditionnelle et était chaussé de sandales ; ses cheveux longs paraissaient pâlis par une espèce de clair de lune. Barbu, son visage était empreint de douceur et de sagesse. *Comme dans les holopubs que projettent les églises de chez nous*, pensa Agneta. En robe, avec la barbe, l'expression sage et douce et les bras légèrement écartés. *Tout y est, même le nimbe. Étrange que nos idées préconçues se révèlent à ce point exactes.*

« Mon Dieu », dit Travis. Les deux hommes aussi ouvraient de grands yeux. « Il vient nous chercher.

— Personnellement, je n'ai rien contre, dit Elms.

— Évidemment, fit Travis avec amertume. Tu n'as ni femme ni enfants, toi. Mais Agneta, tu y as pensé ? Elle n'a que trois cents ans, c'est une gamine. »

Le Christ déclara : « Je suis la vigne, vous êtes les pampres. Quiconque demeure en moi me garde en lui, porte des fruits en abondance ; car coupés de moi, vous ne pouvez rien faire.

— Moi, je sors l'EX de ce vecteur, dit Travis.

— Mes enfants, dit le Christ. Je ne resterai pas beaucoup plus longtemps.

— Tant mieux », répliqua Travis. L'EX se déplaçait maintenant à vitesse maximale en direction de l'axe de Sirius ; la carte stellaire indiquait un flux magnétique massif.

« Enfin quoi, Travis ! explosa Elms. C'est une occasion inespérée. Je veux dire, combien de gens ont vu le Christ ? Parce que c'est *bien* le Christ. N'est-ce pas que vous êtes le Christ ? » demanda-t-il au Personnage.

Le Christ dit : « Je suis la Voie, la Vérité et la Vie. Nul ne peut accéder au Père s'il ne passe par moi. Me connaître, c'est connaître mon Père. À compter de ce moment, vous le connaissez et vous l'avez vu.

— Et voilà, fit Elms, rayonnant de bonheur. Tu vois ? Sachez que je me réjouis, monsieur... » Il s'interrompit. « J'allais dire : "Mr. le Christ." Que je suis bête ! Vraiment, que je suis bête ! Christ, enfin, Mr. le Christ, voulez-vous vous asseoir ? Vous pouvez vous installer devant ma console ou celle de Mrs. Rautavaara. N'est-ce pas, Agneta ? Lui, là, c'est Walter Travis ; il n'est pas chrétien, mais moi si ; j'ai été chrétien toute ma vie. Enfin, la majeure partie de ma vie. Pour Mrs. Rautavaara, je ne sais pas. Qu'en est-il, Agneta ?

— Arrête de jacasser, Elms, dit Travis.

— Il va nous juger », lui rétorqua Elms.

Le Christ dit : « L'homme qui entend ma parole et n'y prête pas foi, je ne serai pas celui qui le condamnera, car je ne suis pas venu condamner le monde mais le sauver ; celui qui me rejette et refuse ma parole a déjà son juge.

— Et voilà », fit Elms en hochant la tête.

Effrayée, Agneta dit au Personnage : « Soyez indulgent avec nous. Nous venons tous les trois de subir un traumatisme majeur. » Elle se demanda soudain si Travis et Elms se rappelaient qu'ils avaient été tués, que leurs corps avaient été détruits.

Le Personnage lui sourit, comme pour la rassurer.

« Travis », dit Agneta en se penchant vers son compagnon, qui avait pris place à sa console. « Écoute-moi. Ni toi ni Elms n'avez survécu à l'accident. C'est pour ça qu'il est là. Je suis la seule à ne pas avoir été... » Elle hésita.

« Tuée, acheva Elms. Nous sommes morts et il est

venu nous chercher. » S'adressant au Personnage, il annonça : « Je suis prêt, Seigneur. Emmenez-moi.

— Emmenez-les tous les deux, dit Travis. Moi, j'envoie un S.O.S. radio. Et je raconte ce qui se passe ici. Je vais signaler la situation avant qu'il ne m'emmène — ou qu'il n'essaie de m'emmener.

— Tu es *mort*, lui affirma Elms.

— Ça ne m'empêche pas d'émettre un rapport radio », dit Travis, dont le visage exprimait pourtant le désarroi. Et la résignation.

Agneta déclara au Personnage . « Travis a besoin d'un peu de temps. Il ne comprend pas bien. Mais vous devez le savoir, puisque vous savez tout. »

Le Personnage acquiesça.

La Commission d'enquête terrienne et nous-mêmes avons écouté et regardé cette activité cérébrale chez Rautavaara et nous avons compris aussitôt ce qui s'était passé. Mais des divergences se sont manifestées quant aux conclusions. Là où les six personnes de la Terre trouvaient cela pernicieux, nous trouvions cela grandiose — à la fois pour Agneta Rautavaara et pour nous. Par le biais de son cerveau lésé, restauré par un robot malavisé, nous étions en rapport avec l'au-delà et les puissances qui le gouvernaient.

Le point de vue des Terriens nous affligea.

« Elle souffre d'hallucinations, dit leur porte-parole. Puisqu'elle est privée de données sensorielles. Étant donné que son corps est mort. Vous vous rendez compte de ce que vous lui faites subir ? »

Nous avons fait remarquer qu'Agneta Rautavaara était heureuse.

« Ce qu'il faut faire, dit le porte-parole humain, c'est désactiver son cerveau.

— Et nous couper de l'au-delà ? avons-nous objecté. On tient l'occasion idéale d'observer la vie après la mort. Le cerveau d'Agneta Rautavaara est notre œil. C'est une affaire considérable. L'intérêt scientifique l'emporte sur l'aspect humanitaire. »

Telle fut notre position lors de l'enquête. Une position sincère, nullement opportuniste.

Les Terriens décidèrent de garder le cerveau de Rautavaara en fonctionnement, en y maintenant une transduction audio/vidéo, dont les productions furent bien évidemment enregistrées ; dans l'intervalle, les attaques à notre égard furent suspendues.

Je me suis personnellement pris de fascination envers le concept terrien de Sauveur. Pour nous, c'était une notion archaïque, pittoresque ; non parce qu'elle était anthropomorphique mais parce qu'elle impliquait une évaluation toute scolaire de l'âme défunte. Entrait en jeu une sorte de tableau totalisateur recensant bonnes et mauvaises actions : un genre de carnet de notes, comme on en emploie pour l'instruction et la notation des enfants — mais transcendantal.

C'était à nos yeux une conception primitive du Sauveur et, tandis que j'observais et écoutais — ou plutôt que *nous* observions et écoutions, en tant qu'entité polyencéphalique —, je me demandais quelle aurait été la réaction d'Agneta Rautavaara face à un Sauveur, un Guide spirituel fondé sur *nos* attentes à nous. Après tout, son cerveau était maintenu en vie par *notre* équipement, par l'appareillage particulier que *notre* robot de secours avait apporté sur les lieux de l'accident. Il aurait été trop risqué de la déconnecter ; les lésions cérébrales n'étaient déjà que trop importantes. L'ensemble du dispositif, cerveau compris, avait ensuite été transféré sur les lieux de l'enquête, une *arche* neutre située entre le système de Proxima et celui de Sol.

Plus tard, lors de discrètes discussions avec mes compagnons, j'ai suggéré que nous tentions d'insuffler notre propre conception du Guide spirituel dans le cerveau artificiellement sauvegardé de Rautavaara. Mon argument : il serait intéressant de voir comment elle réagirait.

Aussitôt, mes compagnons me signalèrent la contradiction que présentait mon raisonnement. J'avais fait valoir à l'enquête que le cerveau de Rautavaara était une fenêtre sur l'au-delà, et que c'était là sa raison d'être — ce qui nous disculpait. Et maintenant, j'avançais que son vécu actuel n'était rien de plus qu'une projection de ses présupposés mentaux.

« Les deux propositions sont vraies, répondis-je. C'est une authentique fenêtre sur l'au-delà, mais c'est aussi une représentation des inclinations culturelles et raciales de Rautavaara. »

Au fond, nous tenions un modèle où nous pouvions introduire des variables soigneusement sélectionnées. Nous pouvions introduire dans le cerveau de Rautavaara notre propre conception du Guide spirituel, et voir ainsi en quoi notre interprétation différait de celle, puérile, des Terriens.

C'était l'occasion inédite de mettre notre théologie à l'épreuve. Selon nous, celle des Terriens l'avait été suffisamment — et s'était révélée déficiente.

Nous avons décidé de tenter l'aventure, puisque c'était tout de même nous qui veillions sur le maintien de l'activité cérébrale. De notre point de vue, c'était une question beaucoup plus intéressante que l'issue de l'enquête. Le blâme est une question purement culturelle ; il ne franchit pas la barrière inter-espèces

Les Terriens ont sans doute pu considérer nos intentions comme malveillantes. Je le démens formellement ; *nous* le démentons. Appelons plutôt cela un jeu. Nous n'attendions qu'une recréation esthétique du spectacle de Rautavaara confrontée à *notre* Sauveur plutôt qu'au sien.

À Travis, Elms et Agneta, le Personnage déclara en écartant les bras : « Je suis la Résurrection. Celui qui croit en moi vivra même s'il meurt, et celui qui vit et croit en moi ne mourra jamais. Croyez-vous en cela ?

— Absolument », dit Elms avec ferveur.

Travis : « Tu parles. »

En son for intérieur, Agneta Rautavaara songea : *Je ne suis pas sûre. Je ne sais vraiment pas.*

« On est censés décider, dit Elms. Est-ce qu'on va avec lui ou non ? Travis, toi, t'es foutu ; éliminé. Tu restes pourrir ici — c'est ton destin. » Puis, s'adressant à Agneta : « J'espère que tu opteras pour le Christ, Agneta. Je veux pour toi la vie éternelle, comme pour moi. Car je l'aurai, n'est-ce pas, Seigneur ? » demanda-t-il au Personnage.

Celui-ci acquiesça.

Agneta dit : « Travis, il me semble que... enfin, que tu devrais te laisser convaincre. Je... » Elle n'avait pas très envie d'insister sur le fait que Travis était mort. Mais il fallait bien qu'il comprenne la situation ; sinon, comme l'avait dit Elms, il était perdu. « Viens avec nous, dit-elle.

— Tu y vas toi aussi, alors ? fit Travis, amer.

— Oui. »

Considérant le Personnage, Elms dit à voix basse : « Il est fort possible que je me trompe, mais je crois qu'il est en train de changer. »

Elle ne voyait pourtant aucune différence. Mais Elms, lui, semblait effrayé.

Le Personnage en robe blanche marcha lentement vers Travis, toujours assis. Il s'arrêta tout près de lui, resta un instant immobile, puis se pencha et mordit Travis au visage.

Agneta poussa un hurlement. Elms ouvrit de grands yeux et Travis, coincé dans son siège, se débattit. Alors, calmement, le Personnage le dévora.

« Vous voyez bien, dit le porte-parole de la Commission d'enquête, qu'il faut désactiver ce cerveau. Il est gravement dégradé ; l'expérience est horrible pour elle ; elle doit cesser immédiatement. »

Moi : « Non. Nous autres, du système de Proxima, trouvons extrêmement intéressante la tournure que prennent les événements.

— Mais le Sauveur est en train de manger Travis ! » s'écria un des autres Terriens.

Moi : « Dans votre religion, n'est-il pas exact qu'on mange la chair de Dieu et qu'on boive son sang ? Eh bien, ce qui s'est passé ici est le reflet inversé de l'Eucharistie.

— J'ordonne que ce cerveau soit désactivé ! » fit le porte-parole de la Commission. Il était blême, des gouttes de sueur perlaient à son front.

Moi : « Nous devrions en voir davantage avant d'agir ainsi. » Je trouvais hautement excitante cette mise en scène de notre propre sacrement, le plus important de tous, par lequel notre Sauveur nous consomme, nous, ses fidèles.

« Agneta, souffla Elms, tu as vu ça ? Le Christ a mangé Travis. Il n'en reste que les gants et les bottes. »

*Mon Dieu,* pensa Agneta Rautavaara. *Mais qu'est-ce qui se passe ?*

Elle s'écarta du Personnage pour se rapprocher d'Elms. Instinctivement.

« Il est mon sang, dit le Personnage en se pourléchant. Je bois de ce sang, le sang de la vie éternelle. Lorsque je l'aurai bu, je vivrai éternellement. Il est mon corps. Je n'ai point de corps à moi ; je ne suis que plasma. En consommant son corps, j'obtiens la vie éternelle. Telle est la vérité nouvelle que je proclame : je suis éternel.

— Il va nous manger aussi », dit Elms.

*Oui*, songea Agneta Rautavaara. *En effet.* Elle voyait bien, à présent, que le Personnage était une Approximation. *C'est une forme de vie proxienne,* comprit-elle. *Il a raison ; il n'a pas de corps propre. Son seul moyen d'en avoir un, c'est de...*

« Je vais le tuer », dit Elms. Il décrocha de son râtelier le fusil laser de secours et le braqua sur le Personnage.

Celui-ci déclara : « Père, l'heure est venue.

— Restez où vous êtes, dit Elms.

— Dans peu de temps, vous ne me verrez plus, dit le Personnage, sauf si je bois votre sang, si je mange de votre corps. Tirez gloire de ce que je puisse vivre. » Le Personnage s'avança.

Elms tira. Le Personnage chancela et son sang coula. *Le sang de Travis,* s'avisa Agneta. *Et non le sien. C'est affreux.* Terrifiée, elle porta ses mains à son visage.

« Vite, jeta-t-elle à Elms. Dis : "Je suis innocent du sang de cet homme." Dis-le avant qu'il soit trop tard.

— "Je suis innocent du sang de cet homme" », déclara Elms.

Le Personnage s'effondra. En sang, il agonisait. Ce n'était plus un homme barbu mais *autre chose*, Agneta

Rautavaara n'aurait su dire quoi. Cela disait : « *Eli, Eli, lama Sabachthani ?* »

Sous les yeux d'Elms et Agneta, le Personnage mourut.

« Je l'ai tué, dit Elms. J'ai tué le Christ. » Il retourna le fusil laser contre lui, chercha du doigt la détente.

« Ce n'était pas le Christ, déclara Agneta. C'était quelque chose d'autre. L'opposé du Christ. » Elle arracha le fusil des mains d'Elms.

Celui-ci pleurait.

Les Terriens de la Commission d'enquête disposèrent de la majorité des voix ; ils votèrent pour que l'on abolisse toute activité dans le cerveau artificiellement maintenu en vie. Cela nous contraria, mais il n'existait nul recours pour nous.

Nous avions observé le début d'une expérience scientifique absolument stupéfiante : la théologie propre à une espèce greffée sur une autre espèce. La désactivation de ce cerveau fut une tragédie scientifique. Par exemple, sur le plan de la relation fondamentale à Dieu, l'espèce terrienne professait une vision diamétralement opposée à la nôtre. Cela s'explique naturellement par le fait qu'ils sont somatiques et nous plasmatiques. Ils boivent le sang de leur Dieu ; ils mangent sa chair ; ainsi deviennent-ils immortels. À leurs yeux, il n'y a là nul scandale. Ils trouvent cela parfaitement naturel. Mais pour nous, c'est atroce. Que le fidèle mange et boive son Dieu ? Quelle chose épouvantable pour nous ; absolument épouvantable. Une disgrâce, une honte, une abomination. C'est ce qui est en haut qui doit faire sa proie de ce qui est en bas ; la Divinité qui doit consommer l'adorateur.

Nous avons observé la conclusion du cas Rautavaara

par extinction du cerveau : toute activité a cessé, les écrans n'indiquaient plus rien. Nous étions déçus, et de surcroît les Terriens ont adopté une motion de censure à notre endroit concernant la façon dont, dès le départ, nous avions conduit cette mission de secours.

Rien n'est plus impressionnant que le gouffre qui sépare les espèces évoluant dans des systèmes solaires différents. Nous avons essayé de comprendre les Terriens et nous avons échoué. Pareillement, nous sommes conscients qu'ils ne nous comprennent pas et sont, de leur côté, horrifiés par nos coutumes. C'est ce que démontre le cas Rautavaara. Mais ne servions-nous pas la cause de la recherche scientifique pure ? J'ai moi-même été stupéfait de la réaction de Rautavaara lorsque le Sauveur a mangé Mr. Travis. J'aurais souhaité voir ce sacrement, le plus saint d'entre tous, s'accomplir sur les autres — Rautavaara puis Elms.

Mais nous avons été privés de ce spectacle. Et l'expérience, de notre point de vue, a échoué.

Nous aussi, nous vivons à présent sous le joug d'une condamnation imméritée.

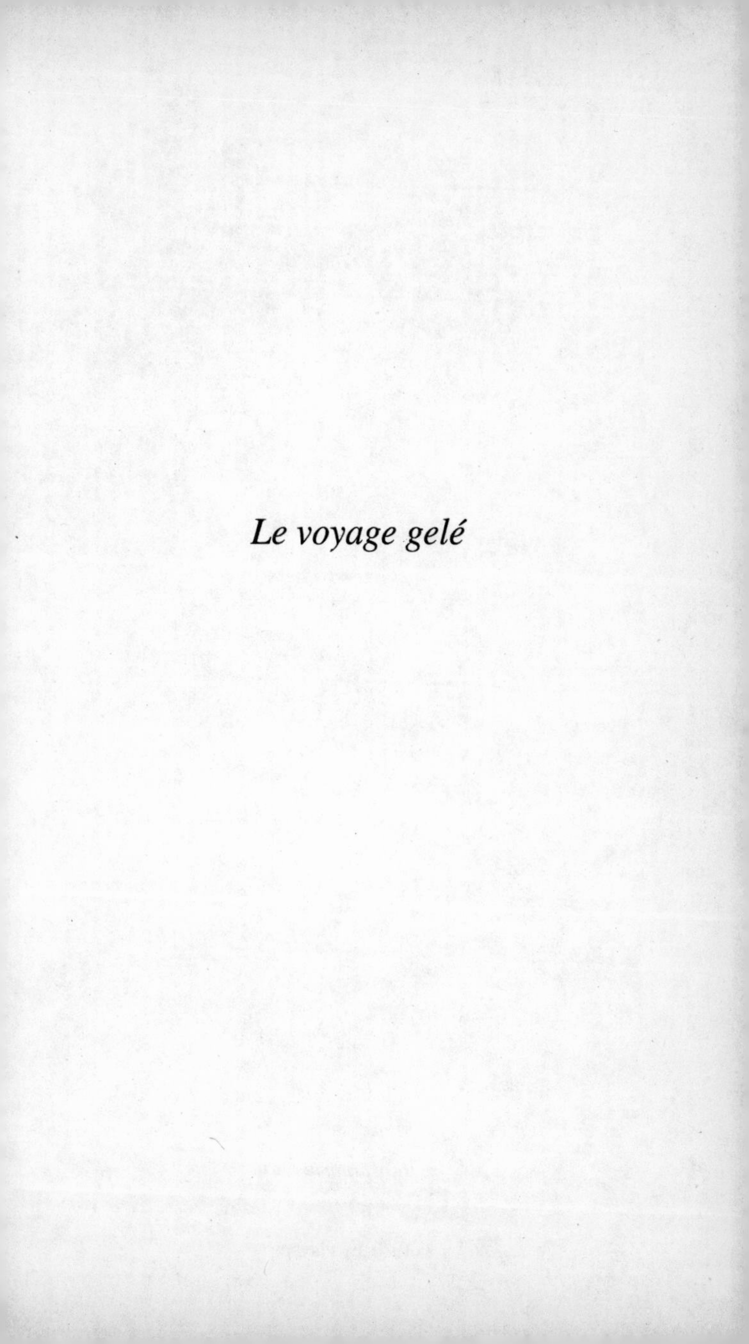

*Le voyage gelé*

*Titre original* .
FROZEN JOURNEY

Après le décollage, le vaisseau procéda à un contrôle de routine concernant l'état des soixante personnes dormant dans ses caissons cryo. Un seul dysfonctionnement : chez le numéro neuf, dont l'E.E.G. révélait l'activité cérébrale.

*Merde*, se dit le vaisseau.

Une série de systèmes homéostatiques complexes se connectèrent sur le circuit adéquat et le vaisseau contacta le numéro neuf.

« Vous êtes légèrement éveillé », dit-il par voie psychotronique; inutile de ranimer complètement le numéro neuf; le vol devait tout de même durer une décennie.

À peine conscient mais, malheureusement, toujours capable de penser, le numéro neuf pensa : *On me parle.* Il demanda : « Où suis-je ? Je ne vois rien.

— Vous êtes en suspension cryo dans un caisson défectueux.

— Alors je ne devrais pas vous entendre.

— J'ai dit défectueux. Tout est là ; vous m'entendez, justement. Savez-vous comment vous vous appelez ?

— Victor Kemmings. Faites-moi sortir d'ici.

— Nous sommes en vol.

— Alors rendormez-moi.

— Un instant. » Le vaisseau examina les mécanismes cryo. Après avoir exploré, inspecté, il déclara : « Je vais essayer. »

Le temps passa. Aveugle et ne sentant plus son corps, Victor Kemmings n'en restait pas moins conscient. « Abaissez ma température », dit-il. Il n'entendait même pas sa propre voix ; si ça se trouvait, il avait seulement *imaginé* qu'il parlait. Il vit venir vers lui des couleurs, d'abord doucement, puis de plus en plus vite. Elles lui plaisaient beaucoup ; elles évoquaient pour lui les boîtes d'aquarelle pour enfants semi-animées — des formes de vie artificielle, en fait. Il s'en était servi à l'école, deux cents ans plus tôt.

« Je ne peux pas vous endormir, fit la voix du vaisseau dans sa tête. La panne est trop complexe ; je ne peux ni la corriger ni la réparer. Vous allez rester conscient pendant dix ans. »

Les couleurs semi-animées se précipitaient toujours vers lui, mais elles revêtaient à présent un aspect sinistre qui venait de sa propre frayeur. « Mon Dieu », fit-il. Dix ans ! Les couleurs s'assombrirent.

Tandis que Victor Kemmings gisait paralysé, environné de lugubres palpitations lumineuses, le vaisseau lui exposa la stratégie qu'il avait adoptée — qui ne résultait pas d'une décision de sa part : il avait été programmé pour recourir à cette solution en cas d'anomalie similaire.

« Ce que je vais faire, lui communiqua la voix du vaisseau, c'est vous procurer des stimuli sensoriels. Le risque, pour vous, c'est la privation sensorielle. Si vous restez conscient dix ans sans données de ce type, votre intellect va se détériorer. Quand nous atteindrons le système de LR4, vous ne serez plus qu'un légume.

— Et qu'avez-vous l'intention de me refiler? demanda Kemmings, pris de panique. Qu'y a-t-il dans vos banques de données? Tous les mauvais feuilletons vidéo du siècle passé? Vous n'avez qu'à me réveiller tout à fait, je me promènerai.

— Je ne contiens pas d'air, dit le vaisseau. Et pas de nourriture qui vous convienne. Et vous n'aurez personne à qui parler, puisque tous les autres sont endormis.

— Je peux discuter avec vous. On pourrait jouer aux échecs.

— Pas pendant dix ans. Écoutez-moi; puisque je vous dis que je n'ai ni vivres ni air! Il faut que vous restiez comme vous êtes... Ce n'est pas un compromis très satisfaisant, mais nous n'avons pas le choix. Nous conversons en temps réel. Je n'ai rien là-dessus en mémoire hormis la solution préconisée dans ce genre de situation : je vais vous injecter vos propres souvenirs enfouis en insistant sur les plus agréables. Vous possédez deux cent six ans de souvenirs, dont la plupart ont sombré dans votre inconscient. Voilà une formidable source de données sensorielles. Reprenez espoir! Votre situation n'est pas sans précédent. Certes, elle ne s'est jamais produite au sein de ma propre expérience, mais je suis programmé pour y faire face. Donc, détendez-vous et faites-moi confiance. Je vais veiller à ce que vous perceviez un monde à votre mesure.

— On aurait dû me prévenir avant que j'accepte d'émigrer.

— Détendez-vous », dit le vaisseau.

Il obéit, mais cela ne l'empêchait pas d'avoir une peur bleue. Théoriquement, il aurait dû s'endormir, subir sans problème la suspension cryo puis se réveiller un instant plus tard sur son étoile de destination; ou plutôt sur la planète, la planète-colonie de cette étoile. Il était le seul être conscient à bord, l'exception, comme si un mauvais karma s'en était pris à lui pour d'obscures raisons. Pis que tout, il dépendait entièrement du bon vouloir du vaisseau. Et s'il décidait de lui envoyer des monstres ? Il pouvait le terroriser pendant dix ans — dix années objectives et sans doute bien davantage d'un point de vue subjectif. Bref, il était entièrement en son pouvoir. Les vaisseaux interstellaires prenaient-ils plaisir à ce genre de situation ? Il ne savait pas grand-chose d'eux ; son domaine à lui, c'était la microbiologie. *Voyons voir,* se dit-il. *Ma première femme, Martine ; l'adorable petite Française qui portait des jeans et une chemise rouge ouverte jusqu'à la taille, et faisait des crêpes délicieuses.*

« J'entends bien, dit le vaisseau. Qu'il en soit ainsi. »

Le bombardement de couleurs se combina pour donner un ensemble de formes cohérentes et stables. Un bâtiment : la petite maison en bois, jaune et pas toute neuve, dont il était propriétaire quand il avait dix-neuf ans, dans le Wyoming. « Attendez, lança-t-il, paniqué. Les fondations étaient en mauvais état ; le sous-sol était bourbeux. Et le toit fuyait. » Mais alors il vit la cuisine, avec la table qu'il avait fabriquée lui-même. Et il se sentit heureux.

« Au bout d'un moment, dit le vaisseau, vous ne vous rendrez plus compte que je vous transmets vos propres souvenirs.

— Je n'ai plus repensé à cette maison depuis un siècle », s'étonna-t-il. Transporté, il distingua sa vieille cafetière électrique, et à côté la boîte de filtres. *C'est la maison où nous vivions, Martine et moi,* s'avisa-t-il. « Martine ! fit-il à haute voix.

— Je suis au téléphone », répondit Martine depuis le salon.

Le vaisseau déclara : « Je n'interviendrai qu'en cas d'urgence. Toutefois, je m'assurerai en permanence que vous êtes dans un état satisfaisant. Ne craignez rien.

— Baisse le gaz sous le feu au fond à droite », lança Martine. Il ne la voyait pas encore. Il passa dans la salle à manger, puis au salon. Martine était bien au V.F., en grande conversation avec son frère ; elle était en short, pieds nus. Par les fenêtres du salon, il voyait la rue ; un véhicule utilitaire essayait en vain de se garer.

*Il fait chaud aujourd'hui,* se dit-il. *Je ferais bien de brancher la climatisation.*

Il s'assit sur le vieux sofa tandis que Martine poursuivait sa conversation au V.F. Ses yeux se posèrent sur son bien le plus précieux, une affiche encadrée, au mur, au-dessus de Martine : un dessin de la série « Les pensées profondes de Fat Freddy », de Gilbert Shelton ; son chat sur les genoux, Fat Freddy essaie de dire : « Le speed tue », mais il est tellement défoncé au speed (il tient justement dans sa main toutes sortes d'amphétamines, dans tous les conditionnements possibles et imaginables — comprimés, pilules, gélules, capsules) qu'il n'arrive pas à articuler ; le chat serre les dents et fait la grimace, mi-consterné, mi-dégoûté. L'affiche comporte un autographe de Gilbert Shelton lui-même ; c'est le meilleur ami de Kemmings, Ray Torrance, qui la leur a offerte, à Martine et lui, en cadeau de mariage. Signée par l'artiste dans les années 1980, elle vaut une fortune. C'était bien avant la naissance de Victor Kemmings ou de Martine.

*Si jamais on se trouve à court d'argent,* songea Kemmings, *on pourra toujours vendre l'affiche.* Ce n'était pas *une* affiche, mais *l'*affiche. Martine l'adorait. Les « Fabulous Furry Freak Brothers »... l'âge d'or d'une société qui n'existait plus depuis longtemps. Pas étonnant qu'il aime autant Martine ; elle-même émettait tant d'amour ! Elle aimait les beautés du monde, elle les couvait et les chérissait comme elle le couvait et le chérissait *lui* ; c'était un amour protecteur, maternant sans être étouffant. C'était elle qui avait eu l'idée d'encadrer l'affiche ; lui l'aurait simplement punaisée au mur, imbécile qu'il était.

« Salut ! fit Martine, qui avait quitté le V.F. À quoi tu penses ?

— Je me disais que ce qu'on aime, on le fait vivre.

— Il vaut mieux, en effet. Tu veux dîner ? Ouvre une bouteille de vin rouge, un cabernet.

— Un 07, ça ira ? » demanda-t-il en se levant. Il eut envie, à ce moment, de prendre sa femme dans ses bras et de la serrer contre lui.

« Un 07 ou un 12. » Elle passa à côté de lui à petits pas et se dirigea vers la cuisine.

Il descendit à la cave et passa en revue les bouteilles qui, bien sûr, étaient entreposées couchées. Cela sentait l'humidité et le renfermé ; il aimait l'odeur de la cave, mais remarqua alors les planches de séquoia à demi enterrées et se dit : *Je sais, il faut que je fasse couler une dalle en béton.* Oubliant le vin, il gagna l'angle opposé, où la couche de terre était la plus épaisse ; il se baissa et éprouva une planche. Puis il fit de même à l'aide d'une truelle et se demanda : *D'où vient cette truelle ? Je ne l'avais pas il y a une minute.* La planche se désagrégea sous la truelle. *Toute la maison est en train de s'effondrer,* se dit-il. *Bon sang. Il faut que j'en parle à Martine.*

Il remonta sans le vin et voulut lui annoncer que les fondations se trouvaient dans un dangereux état de délabrement, mais ne la trouva pas. Et rien ne cuisait sur le fourneau — pas de casseroles, pas de poêles.

Frappé de stupeur, il posa la main sur le fourneau et s'aperçut qu'il était froid. *Pourtant, elle était bien en train de faire la cuisine il y a à peine cinq minutes, non ?* se demanda-t-il.

« Martine ! » appela-t-il.

Pas de réponse. À part lui, la maison était déserte. *Déserte*, se dit-il, *et sur le point de s'effondrer. Mon Dieu !* Il s'assit à la table de la cuisine et sentit la chaise céder légèrement sous son poids ; c'était à peine perceptible, mais il la sentit nettement s'enfoncer.

*J'ai peur,* pensa-t-il. *Où est-elle passée ?*

Il retourna au salon. *Peut-être est-elle allée chez les voisins emprunter des épices, du beurre ou je ne sais quoi,* raisonna-t-il. Néanmoins, la panique le gagnait.

Il regarda l'affiche. Elle n'était pas encadrée. Et les bords étaient déchirés.

*Je sais bien, pourtant, qu'elle l'a encadrée* ; il traversa la pièce au pas de course pour l'examiner de plus près. La signature de l'artiste était presque effacée ; c'était à peine s'il arrivait à la distinguer. Martine avait absolument tenu à l'encadrer, et qui plus est, sous verre antireflet. *Or elle n'est* pas *encadrée, et elle est toute déchirée ! Et nous qui n'avions rien de plus précieux !*

Il se rendit compte qu'il pleurait. Il en resta stupéfait. *Martine n'est plus là ; l'affiche est abîmée ; la maison tombe en ruine ; rien ne cuit sur le fourneau. C'est affreux,* se dit-il. *Et je n'y comprends rien.*

Le vaisseau, lui, comprenait. Ayant surveillé attentivement le tracé d'ondes cérébrales de Victor Kemmings, il savait que quelque chose avait mal tourné. L'E.E.G. révélait de l'agitation, de la souffrance. *Il faut que je le déconnecte de ce circuit-là sinon je vais le tuer,* conclut le vaisseau. *Où se situe la défaillance ? Dans l'inquiétude latente chez l'homme, les angoisses sous-jacentes. Si j'intensifie le signal, peut-être... Oui, je vais utiliser la même source en amplifiant la charge. Il a dû céder à des insécurités subliminales majeures; ce n'est pas ma faute; la cause réside dans sa structure psychologique.*

*Je vais essayer une période antérieure de sa vie,* décida le vaisseau. *Antérieure à l'instauration des angoisses névrotiques.*

Dans l'arrière-cour, Victor observait une abeille prise dans une toile d'araignée. L'araignée entortillait l'abeille avec grand soin. *C'est mal,* pensa Victor. *Je vais la délivrer.* Il prit l'abeille encapsulée, la détacha de la toile et, sans cesser de l'examiner attentivement, entreprit de la libérer.

L'abeille le piqua; il ressentit comme une petite brûlure.

*Pourquoi m'a-t-elle piqué?* se demanda-t-il. *J'étais en train de la délivrer.*

Il rentra le dire à sa mère, mais elle n'écouta pas; elle regardait la télévision. Il avait mal au doigt mais, plus important, il ne comprenait pas pourquoi l'abeille avait attaqué son sauveur. *Je ne recommencerai plus,* se dit-il.

« Mets-y un peu de Bactine », dit enfin sa mère en s'arrachant à la télévision.

Il s'était mis à pleurer. Ce n'était pas juste. Ça ne rimait à rien. Il était désorienté, consterné, et il éprouvait de la haine envers les petits êtres vivants parce qu'ils étaient idiots. Ils n'avaient pas le moindre bon sens.

Il ressortit, joua un moment sur sa balançoire, son toboggan, dans son bac à sable, puis se rendit dans le garage, d'où provenait une étrange palpitation, une espèce de vrombissement de ventilateur. À l'intérieur du garage plongé dans la pénombre, il vit un oiseau qui battait des ailes contre la fenêtre du fond, couverte de toiles d'araignée ; il essayait de sortir. En dessous, le chat, Dorky, ne cessait de faire des bonds en s'efforçant d'atteindre l'oiseau.

Victor souleva le chat, qui s'étira de tout son long, tendit les pattes avant, ouvrit la gueule et referma ses mâchoires sur l'oiseau. Puis il se dégagea pour détaler avec sa proie, qui battait toujours des ailes.

Victor regagna la maison en courant. « Dorky a attrapé un oiseau ! dit-il à sa mère.

— Satanée bestiole. » Sa mère sortit le balai du placard de la cuisine et se précipita dehors à la recherche de Dorky. Le chat s'était réfugié sous les ronces ; elle ne pouvait pas l'atteindre avec le balai. « Je vais me débarrasser de ce chat », dit sa mère.

Victor se garda bien de lui avouer qu'il avait fait en sorte que le chat attrape l'oiseau ; il regarda en silence sa mère s'échiner à essayer de faire sortir Dorky de son refuge ; Dorky croquait l'oiseau ; il entendait le bruit d'os brisés, de tout petits os. Il éprouva un sentiment étrange, comme une obligation d'avouer à sa mère ce qu'il avait fait, mais dans ce cas elle le punirait. *Je ne recommencerai plus,* se dit-il. Il se rendit compte que ses joues s'étaient empourprées. Et si sa mère devinait tout ? Si elle avait un moyen secret de savoir ? Dorky ne pouvait pas lui raconter, et l'oiseau était mort. Personne ne saurait jamais. Il ne risquait rien.

Mais il n'en menait pas large. Ce soir-là, il ne put avaler son dîner. Ce qui n'échappa point à ses parents. Ils le crurent malade, prirent sa température. Il ne dit rien de ce qu'il avait fait. Sa mère raconta les méfaits de Dorky à son père et ils décidèrent de s'en débarrasser. Assis à table, tout ouïe, Victor se mit à pleurer.

« Très bien, fit son père d'une voix douce. Alors on ne s'en débarrassera pas. C'est naturel pour un chat d'attraper un oiseau. »

Le lendemain, comme il jouait dans son bac à sable, il vit que des plantes y poussaient. Il les arracha. Plus tard, sa mère lui dit que c'était mal.

Seul dans son bac à sable avec un seau d'eau, il confectionna un monticule de sable mouillé. Le ciel, jusque-là bleu et dégagé, se couvrit peu à peu. Une ombre passa sur lui ; il leva les yeux. Il sentait une présence autour de lui, quelque chose d'immense et qui pouvait penser.

*Tu es responsable de la mort de cet oiseau,* pensa la présence ; et le petit comprenait ses pensées.

« Je le sais bien », dit-il. À ce moment-là, il aurait voulu mourir. Prendre la place de l'oiseau, mourir pour lui, le remettre là où il était, à battre des ailes contre la fenêtre du garage pleine de toiles d'araignée.

*Cet oiseau voulait voler, manger et vivre,* pensa la présence.

« Oui, fit-il piteusement.

— Tu ne dois plus jamais faire ça, lui enjoignit la voix.

— Pardon », dit-il. Et il se mit à pleurer.

*Cet individu est profondément névrosé,* constata le vaisseau. *J'ai beaucoup de mal à lui trouver des souvenirs heureux. Il y a trop de frayeur en lui, trop de culpabilité. Il a tout refoulé, mais tout est toujours là, à le ronger comme un chien qui s'acharne sur un paillasson. Où trouver dans sa mémoire de quoi le réconforter ? Il faut pourtant que je lui déniche dix ans de souvenirs, sinon c'en est fait de sa santé mentale.*

*Peut-être,* pensa le vaisseau, *mon erreur réside-t-elle dans mes choix. Et si je lui permettais de sélectionner lui-même ses souvenirs? Oui, mais dans ce cas on risque l'irruption d'un élément fantasmatique. Et en général ce n'est pas bon. Toutefois...*

*Je vais réessayer le segment mémoriel concernant son premier mariage,* décida le vaisseau. *Il aimait sincèrement Martine. Si, cette fois, je maintiens l'intensité des souvenirs à un niveau plus élevé, peut-être le facteur d'entropie sera-t-il éliminé. La première fois, il s'est produit une subtile corruption de l'univers remémoré, une dégradation de sa structure même. Je vais essayer de compenser cela. Qu'il en soit ainsi.*

« Tu crois que c'est un véritable autographe de Gilbert Shelton? » s'enquit Martine d'un air songeur. Les bras croisés, elle se tenait devant le dessin aux couleurs vives accroché au mur du salon, en se balançant doucement d'avant en arrière, comme pour chercher la meilleure perspective. « Je veux dire, ça pourrait être un faux. L'œuvre d'un revendeur quelque part en cours de route. Du vivant de Shelton ou après.

— Et le certificat d'authentification? lui rappela-t-il.

— Ah, c'est vrai! » Elle lui fit un sourire, comme toujours plein de chaleur. « Ray nous l'a donné avec. Mais... et si c'était *aussi* un faux? Ce qu'il nous faudrait, c'est une autre lettre certifiant que le certificat est authentique. » Elle rit et s'éloigna de l'affiche.

« En dernière analyse, dit Kemmings, il faudrait faire venir Gilbert Shelton pour qu'il certifie personnellement son autographe.

— Il ne pourrait peut-être pas le garantir. Un jour, un type a apporté un Picasso à Picasso lui-même pour lui demander s'il était authentique; Picasso l'a signé sur-le-champ en disant : « Maintenant il l'est. » » Elle passa un bras autour de sa taille et, dressée sur la pointe des pieds, l'embrassa sur la joue. « Il est authentique, va. Ray ne nous aurait jamais offert un faux. C'est le plus grand expert en ce qui concerne les œuvres artistiques remontant à l'époque de la contre-culture, au XXe siècle. Tu sais qu'il possède une vraie dose de came ? Il la conserve dans...

— Ray est mort, dit Victor.

— Quoi ? » Elle le regarda, stupéfaite. « Tu veux dire qu'il lui est arrivé quelque chose depuis la dernière fois que...

— Il y a deux ans qu'il est mort. À cause de moi. C'est moi qui conduisais le buzzcar. Je n'ai pas été mis en cause par la police, mais c'était bel et bien ma faute.

— Mais enfin, Ray vit sur Mars ! » Elle le dévisagea.

« Je sais très bien que je suis responsable. Je ne te l'ai jamais dit. Je ne l'ai jamais dit à personne. Pardon. Je ne l'ai pas fait exprès. Je l'ai vu battre des ailes contre la fenêtre, et Dorky essayait de l'atteindre, alors j'ai soulevé Dorky, et je ne sais pas pourquoi mais Dorky l'a attrapé et...

— Assieds-toi, Victor. » Martine le guida vers le fauteuil exagérément rembourré et le fit asseoir. « Il y a quelque chose qui va de travers.

— Je le sais bien. Affreusement de travers, même. À cause de moi une vie s'est éteinte, une vie précieuse qui ne pourra jamais être remplacée. Pardon. Je voudrais pouvoir réparer, mais je ne peux pas. »

Après un silence, Martine déclara : « Appelle Ray.

— Le chat...

— Quel chat ?

— Là. » Il tendit le doigt. « Sur l'affiche. Sur les

genoux de Fat Freddy. C'est Dorky. C'est Dorky qui a tué Ray. »

Silence.

« La présence me l'a dit, reprit Kemmings. C'était Dieu. Je ne l'ai pas compris sur le moment, mais Dieu m'a vu commettre ce crime. Ce meurtre. Et il ne me pardonnera jamais. »

Sa femme le regardait, médusée.

« Dieu voit tout ce qu'on fait, dit Kemmings. Il voit même le moineau qui tombe. Sauf que là, il n'est pas tombé ; il s'est fait attraper. Attraper en l'air et bousiller. Dieu est en train de bousiller cette maison qui est mon corps, pour me faire payer ce que j'ai fait. On aurait dû montrer cette maison à un entrepreneur avant de l'acheter. Elle est en train de tomber en ruine, merde ! Dans un an il n'en restera plus rien. Tu ne me crois pas ? »

Martine bredouilla : « Je...

— Regarde. » Kemmings tendit les bras vers le plafond, puis se mit debout, toujours dans la même position, mais en vain. Il n'arrivait pas à toucher le plafond. Alors il marcha jusqu'au mur et, après un temps d'arrêt, passa la main à travers.

Martine hurla.

Le vaisseau interrompit immédiatement l'extraction mémorielle. Mais le mal était fait.

*Il a tissé en un écheveau serré ses frayeurs et ses sentiments de culpabilité précoces,* se dit le vaisseau. *Il m'est impossible de lui proposer un souvenir agréable car il le contamine aussitôt. Si positive qu'ait été en elle-même l'expérience originale. La situation est grave,* conclut-il. *Cet homme présente d'ores et déjà des signes de psychose. Et nous avons à peine entamé le voyage ; toutes ces années devant nous...*

Après s'être donné le temps de retourner le problème dans tous les sens, il décida de contacter une fois de plus Kemmings.

« Mr. Kemmings, dit le vaisseau.

— Excusez-moi, fit Kemmings. Je ne voulais pas saboter les extractions. Vous avez fait du bon boulot, c'est moi qui...

— Minute. Je ne suis pas équipé pour effectuer votre reconstruction psychiatrique ; je ne suis qu'une machine. Que désirez-vous, au juste ? Où voulez-vous être, que voulez-vous faire ?

— Je veux arriver à destination. Je veux que le voyage soit terminé. »

*Ah !* pensa le vaisseau. *Voilà la solution.*

L'un après l'autre, les systèmes cryo s'arrêtèrent. L'un après l'autre, les passagers revinrent à la vie, parmi lesquels Victor Kemmings. Ce qui le stupéfia, ce fut de ne pas avoir senti passer le temps. Il était entré dans l'alvéole, s'était allongé, avait senti la membrane le recouvrir et la température baisser...

Et il se tenait à présent sur la plate-forme extérieure du vaisseau, la plate-forme de débarquement, et contemplait un paysage planétaire verdoyant en contrebas. *Voilà donc LR4-6,* songea-t-il, *le monde-colonie sur lequel je suis venu refaire ma vie.*

« Ça a l'air bien, déclara une femme corpulente à côté de lui.

— Oui. » La nouveauté du paysage lui sautait à la figure, avec ce qu'elle renfermait de promesses, de recommencements. Ce serait toujours mieux que ces deux cents dernières années. *Je suis un homme neuf dans un monde neuf,* pensa-t-il. Et il s'en réjouit.

Des couleurs se précipitèrent à sa rencontre, comme

des aquarelles pour enfant, une trousse semi-animée. *Des feux de Saint-Elme,* s'avisa-t-il. *Oui, c'est ça ; l'atmosphère de cette planète est fortement ionisée. Un son et lumière gratuit, comme on en faisait au* XX^e^ *siècle.*

« Mr. Kemmings », dit une voix. Un homme d'un certain âge s'était approché. « Avez-vous rêvé ?

— En animation suspendue ? fit Kemmings. Non, pas que je me souvienne.

— Moi oui, je crois, dit le vieil homme. Pourriez-vous prendre mon bras pour descendre la passerelle ? Je ne me sens pas très solide sur mes jambes. L'air me paraît raréfié. Et à vous ?

— N'ayez pas peur. » Kemmings lui prit le bras. « Je vais vous aider à descendre. Regardez : un guide vient par ici. Il va s'occuper de nous ; ça fait partie du contrat. On va nous conduire à un hôtel et nous donner des chambres trois étoiles. Relisez la brochure. » Il sourit au vieil homme si visiblement mal à l'aise, histoire de le rassurer.

« J'aurais cru que nos muscles seraient en guimauve, après dix ans d'animation suspendue, dit l'autre.

— C'est comme quand on congèle des petits pois. » Soutenant son aîné craintif, Kemmings descendit à terre. « On peut les conserver indéfiniment si on les refroidit suffisamment.

— Je m'appelle Shelton, dit le vieil homme.

— Quoi ? » fit Kemmings en s'immobilisant. Un étrange sentiment l'envahit.

« Don Shelton. » L'homme tendit la main ; machinalement, Kemmings la serra. « Qu'y a-t-il, Mr. Kemmings ? Ça ne va pas ?

— Si, si. Pas de problème. J'ai faim, c'est tout. J'aimerais bien manger. Arriver à l'hôtel, pouvoir prendre une douche et me changer. » Il se demanda où se trouvaient les bagages. Il faudrait bien une heure au vaisseau pour les décharger. Ce vaisseau n'était pas particulièrement intelligent.

Sur le ton de la confidence, Mr. Shelton lui souffla : « Vous savez ce que j'ai apporté ? Une bouteille de Wild Turkey. Le meilleur bourbon de la Terre. Je vais l'emporter à l'hôtel et nous la boirons ensemble. » Il lui donna un petit coup de coude.

« Je ne bois pas, dit Kemmings. Sauf du vin. » Il se demanda s'il y avait du bon vin ici, sur cette lointaine planète-colonie. *Lointaine ?* réfléchit-il. *Non, à présent, c'est la* Terre *qui est lointaine. J'aurais dû faire comme Mr. Shelton, emporter quelques bouteilles.*

Shelton. Ce nom lui rappelait quelque chose, mais quoi ? Cela avait un rapport avec son lointain passé, ses jeunes années. Il y avait eu quelque chose de précieux, en plus du bon vin et de la jolie jeune femme douce qui faisait des crêpes dans une cuisine à l'ancienne. Des souvenirs douloureux ; oui, des souvenirs qui faisaient *très* mal.

Il se retrouva bientôt au pied de son lit d'hôtel, sa valise ouverte devant lui ; il avait entrepris de suspendre ses vêtements. Dans un coin, un hologramme montrant un présentateur de journal télévisé ; il s'en détourna mais, ayant envie d'entendre une voix humaine, il le laissa en marche.

*Est-ce que j'ai rêvé ?* se demanda-t-il. *Durant ces dix années ?*

Sa main lui faisait mal. Baissant les yeux, il y vit une boursouflure rouge, comme s'il avait été piqué. *Une abeille m'a piqué,* constata-t-il. *Mais quand ? Comment ? Pendant que j'étais en suspension cryo ? Impossible.* Pourtant, il voyait bien la marque, il ressentait la douleur. Il faudrait que je mette quelque chose dessus, songea-t-il. Il doit y avoir un robot-médecin dans l'hôtel ; c'est un établissement de premier ordre.

Quand le robot-médecin fut là et se fut mis en devoir de soigner la piqûre, Kemmings dit : « C'est ma punition pour avoir tué l'oiseau.

— Ah bon ? fit le robot-médecin.

— Tout ce qui a jamais eu de l'importance pour moi m'a été enlevé. Martine, l'affiche — ma petite bicoque et sa cave à vin. Nous avions tout et tout est parti. Martine m'a quitté à cause de l'oiseau.

— L'oiseau que vous avez tué, dit le robot-médecin.

— Dieu m'a puni. Il m'a enlevé tout ce qui m'était précieux à cause du péché que j'avais commis. Car ce n'était pas Dorky le coupable ; c'était moi.

— Mais vous n'étiez qu'un petit garçon.

— Comment savez-vous ça ? » Kemmings retira sa main. « Il y a quelque chose qui cloche. Vous ne devriez pas savoir ça.

— C'est votre mère qui me l'a dit.

— Ma mère ne l'a pas su ! »

Le robot-médecin déclara : « Elle l'a deviné. Le chat n'aurait jamais pu attraper cet oiseau sans votre aide.

— Alors pendant toute mon enfance, mon adolescence, elle était au courant ! Et elle n'a jamais rien dit.

— Vous pouvez oublier.

— Je ne crois pas que vous existiez. Il est impossible que vous sachiez ces choses. Je suis toujours en suspension cryo et le vaisseau continue à me restituer mes souvenirs lointains. Pour que je ne devienne pas psychotique à cause de la privation sensorielle.

— Dans ce cas, comment pourriez-vous vous souvenir de l'arrivée ?

— Si ce n'est pas un souvenir, c'est une construction

fondée sur un fantasme. C'est du pareil au même. Je vais vous le prouver. Vous avez un tournevis ?

— Pourquoi ?

— Je vais ôter le dos du téléviseur et vous allez voir ; il n'y aura rien dedans, ni composants ni rien.

— Je n'ai pas de tournevis.

— Un petit couteau, alors. J'en vois un dans votre trousse chirurgicale. » Kemmings s'empara d'un petit scalpel. « Ceci fera l'affaire. Si je vous montre, vous me croirez ?

— S'il n'y a rien à l'intérieur du téléviseur, alors... »

Kemmings s'accroupit et ôta les vis maintenant le dos de l'appareil. Le panneau céda et il le posa par terre.

Il n'y avait rien à l'intérieur du téléviseur. Et pourtant l'hologramme couleur continuait d'emplir un quart de la chambre d'hôtel et l'image tridimensionnelle du présentateur continuait à discourir.

« Avouez que vous êtes le vaisseau, dit Kemmings au robot-médecin.

— Oh, misère », fit ce dernier.

*Oh, misère,* se dit le vaisseau. *Dire que c'est là ce qui m'attend pendant presque dix ans... Rien à faire, il contamine immanquablement son vécu avec sa culpabilité enfantine ; il s'imagine que si sa femme l'a quitté, c'est parce qu'à l'âge de quatre ans il a aidé un chat à attraper un oiseau. La seule solution serait que Martine lui revienne, mais comment faire ? Si ça se trouve, elle est morte. D'un autre côté, ce n'est pas sûr. Peut-être peut-on l'amener à faire quelque chose pour la santé mentale de son ex-mari. La plupart des gens ont des côtés très positifs. Et dans dix ans, il en faudra beaucoup pour sauver — ou plutôt restaurer — sa santé mentale ; cela demandera même des mesures drastiques que je ne peux entreprendre seul.*

En attendant, pas d'autre solution que de recycler le fantasme de l'arrivée à destination. *Je vais lui faire revivre l'arrivée,* décida le vaisseau, *puis j'effacerai sa mémoire consciente et la lui ferai revivre une nouvelle fois. Le seul aspect positif de cette démarche est que cela va m'occuper, ce qui peut contribuer à préserver ma propre santé mentale.*

Allongé dans son caisson cryo défectueux, Victor Kemmings imagina une fois de plus que le vaisseau se posait et qu'on le ranimait.

« Avez-vous rêvé ? » lui demanda une femme corpulente tandis que les passagers se rassemblaient sur la plate-forme de débarquement. « Moi, j'ai l'impression que oui. J'ai revu des choses que j'ai vécues... il y a plus d'un siècle.

— Pas que je me souvienne », répondit Kemmings. Il avait hâte de gagner son hôtel ; une douche, des vêtements de rechange, voilà qui ferait merveille pour son moral. Il se sentait légèrement déprimé et se demanda pourquoi.

« Voilà notre guide, dit une femme d'un certain âge. On va nous conduire à nos chambres.

— C'est dans le contrat », renchérit Kemmings. Sa déprime persistait. Les autres paraissaient si enthousiastes, tellement pleins de vie ! Lui ne ressentait que de la lassitude, une sensation d'écrasement, comme si la pesanteur était trop forte pour lui sur cette planète-colonie. *Peut-être que c'est ça,* se dit-il. Pourtant, d'après la brochure, elle était égale à celle de la Terre ; c'était d'ailleurs un des attraits de l'endroit.

Déconcerté, il descendit lentement à terre, un pas après l'autre, en se cramponnant à la rambarde. *De toute façon, je ne mérite pas vraiment qu'on me donne une nouvelle chance,* s'avisa-t-il. *Je fais semblant. Je ne suis pas comme les autres, là. Il y a quelque chose qui cloche chez moi ; impossible de me rappeler ce que c'est, mais c'est quand même là. En moi. Une souffrance amère. La certitude que je ne vaux rien.*

Un insecte se posa sur le dos de sa main droite, un vieil insecte las de voler. Il s'arrêta, le regarda se traîner sur ses phalanges. *Je pourrais l'écraser,* pensa-t-il. *Il est manifestement infirme ; il n'en a plus pour longtemps, de toute manière.*

Il l'écrasa — et ressentit une profonde horreur intérieure. *Qu'est-ce que j'ai fait là ?* se demanda-t-il. *Ce sont mes premiers instants ici et j'ai déjà anéanti une petite vie. Tu parles d'un nouveau départ !*

Il se retourna vers le vaisseau. *Peut-être devrais-je rebrousser chemin,* se dit-il. *Me faire congeler à tout jamais. Je suis l'incarnation de la culpabilité, de la destruction.* Des larmes emplirent ses yeux.

Au sein de ses circuits intelligents, le vaisseau interstellaire gémit.

Les dix années de voyage laissèrent largement le temps au vaisseau de retrouver Martine Kemmings. Il lui exposa la situation. Elle avait émigré dans un vaste dôme orbital dans le système de Sirius, puis trouvé sa situation insatisfaisante et réémigré vers la Terre. Tirée de sa propre suspension cryo, elle écouta attentivement puis accepta de se trouver sur le monde-colonie LR4-6 quand son ex-mari y débarquerait — en admettant que ce soit possible.

Heureusement, ça l'était.

« Je ne crois pas qu'il me reconnaîtra, dit Martine au vaisseau. Je me suis permis de vieillir. Je suis contre l'idée de stopper complètement le processus de vieillissement. »

*Il aura de la chance s'il reconnaît quoi que ce soit,* pensa le vaisseau.

Au spatioport intersystèmes du monde-colonie LR4-6, Martine attendait que les passagers du vaisseau fassent leur apparition sur la plate-forme. Elle se demandait si elle reconnaîtrait son ancien mari. Elle avait un peu le trac, mais elle était contente d'être parvenue à temps sur LR4-6. Il s'en était fallu de peu. Une semaine de plus, et son vaisseau à lui serait arrivé avant le sien. *La chance est de mon côté,* se dit-elle. Elle observa l'engin interstellaire qui venait de se poser.

Des gens en sortirent. Elle aperçut Victor. Il avait très peu changé.

Alors qu'il descendait en se cramponnant à la rambarde comme s'il était fatigué, hésitant, elle se porta à sa rencontre, les mains enfoncées dans les poches de son manteau ; elle se sentait intimidée, et quand elle réussit à parler, ce fut d'une voix à peine perceptible.

« Salut, Victor. »

Il s'arrêta et la dévisagea. « Je vous connais, dit-il.

— Martine », fit-elle.

Il lui tendit la main et lui demanda en souriant : « Tu as entendu parler des problèmes à bord du vaisseau ?

— C'est lui qui m'a contactée. » Elle lui prit la main. « Tu parles d'une épreuve.

— Ouais. Ressasser indéfiniment les mêmes souvenirs... Je t'ai parlé de l'abeille que j'ai essayé de dégager d'une toile d'araignée quand j'avais quatre ans ? Cette idiote m'a piqué. » Il se pencha pour l'embrasser. « Ça me fait plaisir de te voir.

— Est-ce que le vaisseau... ?

— Il m'a dit qu'il allait essayer de te faire venir. Mais il n'était pas sûr que tu arrives à temps. »

Tandis qu'ils se dirigeaient vers l'astrogare, Martine déclara : « J'ai eu de la chance ; je me suis débrouillée pour obtenir un transfert sur un véhicule militaire, un vaisseau à haute vélocité qui fonçait comme un fou. Un système de propulsion complètement nouveau.

— Jamais personne n'avait passé autant de temps dans son propre inconscient, reprit Kemmings. C'est pire que la psychanalyse telle qu'on la pratiquait au début du XX^e siècle. Avec les mêmes choses qui revenaient sans cesse. Tu savais que j'avais peur de ma mère ?

— *Moi*, j'avais peur d'elle. » Ils attendirent devant le dépôt des bagages. « Ça m'a l'air d'une chouette petite planète. Bien mieux que là où j'étais. Je n'y étais pas du tout heureuse.

— Alors peut-être y a-t-il un dessein cosmique, dit-il avec un grand sourire. Tu es superbe.

— Je suis vieille.

— La médecine sait...

— C'est moi qui en ai décidé ainsi. J'aime bien les vieilles personnes. » Elle l'observa. *Il a été sérieusement secoué par cette défaillance du système cryo,* se dit-elle. *Je le vois dans son regard. Il a quelque chose de brisé. Oui, il a le regard brisé. Mis en pièces par l'épuisement et... l'échec. Comme si ses souvenirs enfouis, précoces, l'avaient détruit en remontant à la surface. Mais c'est fini maintenant*, se dit-elle. *Et je suis arrivée à temps.*

Au bar de l'astrogare, ils allèrent boire un verre.

« Un vieil homme m'a fait tâter du Wild Turkey, dit Victor. Un bourbon étonnant. Le meilleur de la Terre, à l'en croire. Il se trimbalait avec une bouteille apportée de... » Il se tut.

« Un de tes compagnons de voyage, acheva Martine.

— Je suppose.

— Enfin, tu peux cesser de penser aux oiseaux et aux abeilles maintenant.

— Au sexe, alors ? fit-il avant de rire.

— Se faire piquer par une abeille, aider un chat à attraper un oiseau... Tout ça, c'est du passé.

— Ce chat est mort depuis cent quatre-vingt-deux ans. J'ai fait le calcul pendant qu'on nous sortait de cryo. Et c'est aussi bien. Dorky. Dorky le chat tueur. Rien à voir avec celui de Fat Freddy.

— J'ai été obligée de vendre l'affiche, dit Martine. En fin de compte. »

Il fronça les sourcils.

« Tu te rappelles ? Tu me l'as laissée quand nous nous sommes séparés. Ce que j'ai toujours considéré comme très gentil de ta part.

— Combien tu en as tiré ?

— Beaucoup. Je devrais te verser quelque chose comme... » Elle se livra à de rapides calculs. « En tenant compte de l'inflation, environ deux millions de dollars.

— Accepterais-tu, au lieu de me donner ce qui me revient, de passer quelque temps ici avec moi ? Le temps que je m'habitue à la planète ?

— Oui », dit-elle. Et elle le pensait. Très sincèrement.

Ils finirent leurs verres puis, une fois les bagages confiés au robot porteur, ils se rendirent dans sa chambre d'hôtel.

« Elle est jolie, dit Martine, juchée au bord du lit. Et il y a une télé holo. Allume-la.

— Inutile. » Debout devant la penderie ouverte, il accrochait ses chemises.

« Pourquoi ?

— Elle ne diffuse rien. »

Martine alla tout de même l'allumer. Un match de hockey se matérialisa au milieu de la pièce, en couleurs, et le bruit du match assaillit leurs oreilles.

« Elle marche très bien, au contraire, constata Martine.

— Je sais ce que je dis. Je peux le prouver. Si tu as une lime à ongles ou quelque chose dans ce genre, je vais dévisser le dos et te montrer.

— Mais enfin, je vois bien que...

— Regarde. » Il laissa en plan l'accrochage de ses vêtements. « Regarde : je passe la main à travers le mur. » Il appliqua la paume de sa main droite sur la cloison. « Tu vois ? »

Sa main ne passa *pas* à travers le mur, pour la bonne raison que les mains ne *passent pas* à travers les murs ; elle y resta plaquée, immobile.

« Quant aux fondations, dit-il, elles sont en train de pourrir.

— Viens t'asseoir à côté de moi.

— J'ai vécu ça assez souvent pour savoir. Vécu et revécu. Je sors de cryo ; je descends à terre ; je récupère mes bagages ; parfois je bois un verre au bar et parfois je vais directement dans ma chambre. En règle générale, j'allume la télé et là... » Il s'approcha et lui présenta sa main. « Tu vois où l'abeille m'a piqué ? »

Elle ne vit aucune marque ; elle lui saisit la main et la lui montra. « Il n'y a là aucune piqûre d'abeille.

— Et quand le robot-médecin arrive, je lui emprunte un outil et j'enlève le dos du téléviseur. Pour lui prouver qu'il n'y a pas de composants à l'intérieur. Et puis le vaisseau me fait tout recommencer.

— Victor. Regarde ta main.

— Tout de même, c'est la première fois que tu es là, constata-t-il.

— Assieds-toi.

— D'accord. » Il s'exécuta, mais en gardant ses distances.

« Tu ne veux pas t'asseoir plus près ?

— Ça me rend trop triste de me souvenir de toi. Je t'aimais vraiment. Je voudrais que tout cela soit vrai.

— Je vais rester là, avec toi, jusqu'à ce que ce soit vrai pour toi.

— Je vais essayer de revivre la séquence avec le chat mais cette fois *sans* le soulever et *sans* lui permettre d'attraper l'oiseau. Si j'y arrive, ma vie va peut-être changer, se teinter d'un peu de bonheur. De réalité, aussi. Ma véritable erreur a été de me séparer de toi. Regarde ; je vais passer ma main à travers toi. » Il posa une main sur son bras. La pression de ses muscles était ferme ; elle en éprouva le poids, elle sentit bien la présence physique de Victor contre elle. « Tu vois ? dit-il. Je passe à travers toi.

— Et tout ça, parce que tu as tué un oiseau quand tu étais petit garçon.

— Non. Tout ça à cause d'une défaillance du système de thermorégulation à bord du vaisseau. Je ne suis pas descendu à la bonne température. Il reste juste assez de chaleur dans mes neurones pour permettre l'activité cérébrale. » Il se leva, s'étira et lui sourit. « On va dîner quelque part ?

— Excuse-moi. Je n'ai pas faim.

— Moi si. Je vais m'offrir des fruits de mer locaux. La brochure dit qu'ils sont extraordinaires. Viens quand même ; quand tu auras vu et humé les plats, peut-être changeras-tu d'avis. »

Elle ramassa son manteau et son sac à main et lui emboîta le pas.

« Jolie petite planète, reprit-il. Je l'ai explorée des dizaines de fois. Je la connais à fond. Il faudrait quand même qu'on s'arrête à la pharmacie en bas acheter de la Bactine. Pour ma main. Ça commence à enfler et ça me fait un mal de chien. » Il la lui montra. « Plus mal que jamais, même.

— Tu veux que je revienne vivre avec toi ? s'enquit Martine.

— Tu parles sérieusement ?

— Oui. Je resterai avec toi aussi longtemps que tu voudras. Je suis d'accord, on n'aurait jamais dû se séparer.

— L'affiche est déchirée, répliqua Kemmings.

— Quoi ?

— On aurait dû l'encadrer. On n'a pas eu le bon sens d'en prendre soin. Maintenant elle est déchirée. Et son auteur est mort. »

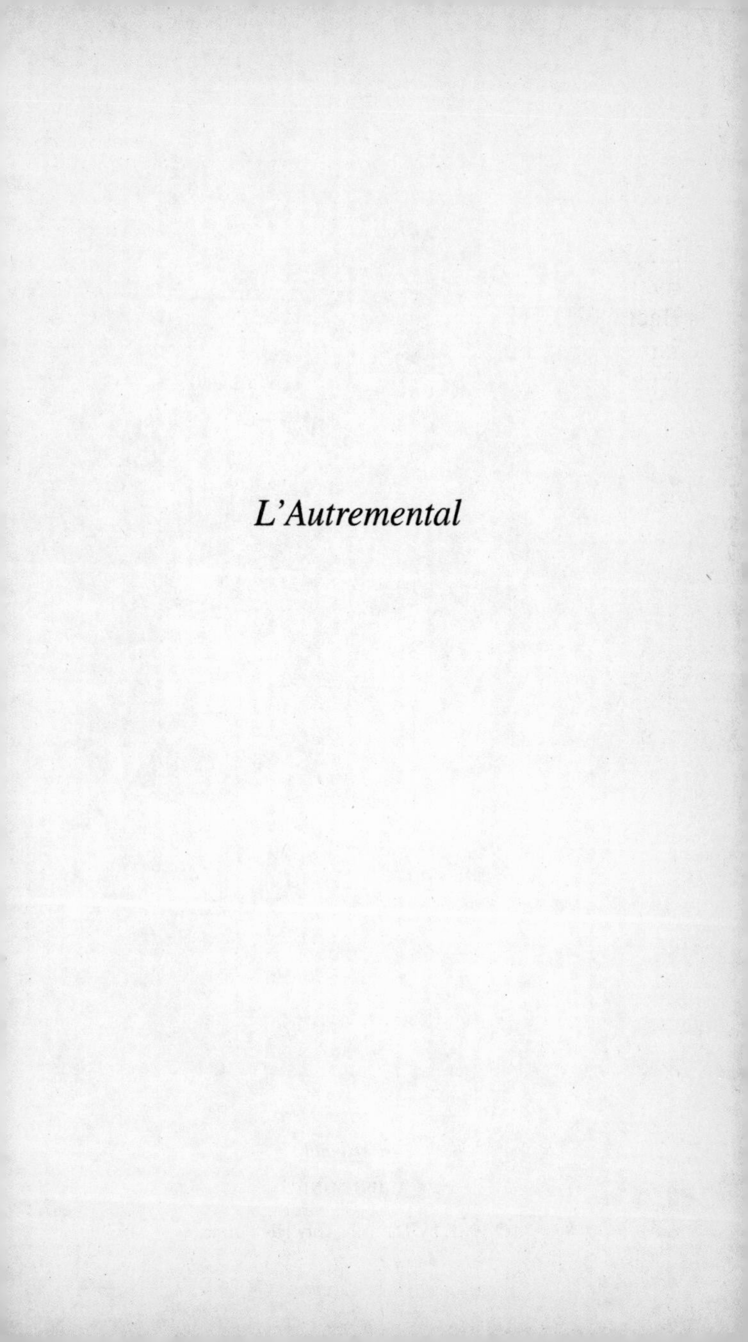

*L'Autremental*

*Titre original :*

ALIEN MIND

Gisant inerte dans les profondeurs de son caisson thêta, il entendit une faible tonalité, puis la synthévoix. « Cinq minutes.

— D'accord », dit-il. Il s'extirpa péniblement de son sommeil profond. Il avait donc cinq minutes pour ajuster la trajectoire de son vaisseau ; un dysfonctionnement dans le pilote automatique. Une erreur de sa part ? Peu vraisemblable ; il ne commettait jamais d'erreur. Jason Bedford, faire des erreurs ? Allons.

Comme il se dirigeait d'un pas chancelant vers le module de commande, il vit que Norman, qu'on lui avait adjoint pour le divertir, était lui aussi réveillé. Le chat flottait dans l'air en décrivant des cercles lents et en chassant à coups de patte un stylo qui s'était détaché. *Étrange*, songea Bedford.

« Je croyais que tu étais inconscient, comme moi. » Il examina le relevé de trajectoire. Impossible ! Un cinquième de parsec de déviation en direction de Sirius. Cela allait rallonger son voyage d'une semaine. Il rectifia les réglages avec une précision sans joie, puis envoya un signal d'alerte à Meknos III, sa destination.

« Un ennui ? » répondit l'opérateur meknosien. La voix était sèche et froide, le ton monocorde et impassible ; le tout faisait invariablement naître des images de serpents dans l'esprit de Bedford.

Il expliqua sa situation.

« Il nous faut absolument ce vaccin, déclara le Meknosien. Tâchez de maintenir le cap. »

Norman le chat flotta majestueusement vers le module de commande, tendit une patte et donna de petits coups au hasard ; deux boutons brusquement activés émirent de faibles *bips* et le vaisseau changea de cap.

« C'était donc toi, dit Bedford. Tu m'as humilié aux yeux d'un *Autre*. Tu m'as fait passer pour un imbécile devant *l'Autremental*. » Il attrapa le chat. Et serra.

« Quel était ce bruit bizarre ? demanda l'opérateur meknosien. Une sorte de lamentation. »

Bedford déclara tranquillement : « Il n'y a plus rien qui soit susceptible de se lamenter, maintenant. Oubliez ce que vous avez entendu. » Il coupa la radio, porta le cadavre du chat jusqu'au sphincter à ordures et l'éjecta.

Puis il regagna son caisson thêta et, une fois de plus, s'enfonça dans le sommeil. Plus de risque qu'on aille tripatouiller ses commandes. Il s'endormit en paix.

Quand le vaisseau aborda Meknos III, le chef de l'équipe médicale E.T. l'accueillit avec une étrange requête. « Nous aimerions voir votre animal de compagnie.

— Je n'ai pas d'animal de compagnie », dit Bedford. Ce qui était l'entière vérité.

« D'après le manifeste qui nous a été communiqué...

— Je ne vois pas en quoi ça vous regarde, dit Bedford. Vous avez votre vaccin ; moi, je décolle.

— Nous nous soucions au contraire du bien-être

de toutes les formes de vie, insista le Meknosien. Nous allons donc inspecter votre vaisseau.

— Pour chercher un chat qui n'existe pas », enchaîna Bedford.

Effectivement, les recherches se révélèrent vaines. Impatient, Bedford regarda les E.T. fouiller chaque armoire de rangement, chaque coursive. Malheureusement, les Meknosiens trouvèrent dix sacs de nourriture pour chat déshydratée. Une longue discussion s'ensuivit entre eux, dans leur propre langue.

« Je suis autorisé à regagner la Terre à présent ? fit rudement Bedford. C'est que j'ai un programme chargé, moi. » Il se moquait bien de ce que les E.T. pouvaient bien dire ou penser ; tout ce qu'il voulait, lui, c'était retourner dans son caisson thêta silencieux et se replonger dans son profond sommeil.

« Vous allez devoir subir la procédure de décontamination A, dit le médecin major meknosien. Afin qu'aucun spore ou virus originaire de...

— Je sais, dit Bedford. Allons-y, qu'on en finisse. »

Quand la décontamination fut achevée et que, de retour à bord, il alluma les réacteurs, la radio s'anima. C'était un des E.T., peu importait lequel, pour Bedford, ils se ressemblaient tous. « Comment s'appelait le chat ? demanda le Meknosien.

— Norman », répondit Bedford, qui enclencha le bouton de mise à feu. Le vaisseau s'élança. Il sourit.

Toutefois, ce ne fut pas le sourire aux lèvres qu'il constata la disparition de la source d'énergie alimentant le caisson thêta. Même chose quand il se révéla impossible de localiser l'unité de rechange. *Aurais-je oublié de l'emporter ?* se demanda-t-il. *Non*, conclut-il ; *jamais je ne ferais une chose pareille. Ce sont eux qui me l'ont prise.*

Deux ans pour atteindre la Terre ! Deux ans sans sommeil thêta ; deux ans à demeurer assis, à flotter, ou — comme il l'avait vu dans des holofilms conçus pour l'instruction militaire — à rester recroquevillé dans un coin, complètement psychotique.

Il composa une requête radio pour retourner sur Meknos III. Pas de réponse. Rien à espérer de ce côté-là.

Il s'installa devant le module de commande, alluma le micro-ordinateur de bord et dit : « Mon caisson thêta ne fonctionne pas. Il a été saboté. Que me suggérez-vous de faire pendant deux ans ? »

IL EXISTE DES ENREGISTREMENTS DE DIVERTISSEMENT RÉSERVÉS AUX SITUATIONS D'URGENCE

« Mouais », dit-il. Il s'en serait souvenu. « Merci. » Il appuya sur le bouton approprié et fit coulisser la porte du placard.

Pas de bandes. Rien qu'un jouet pour chat — un punching-ball miniature — qui avait été ajouté à l'intention de Norman ; il n'avait jamais pensé à le lui donner. À part ça... rien que des étagères vides.

*L'Autremental*, pensa Bedford. *Mystérieux et cruel.*

Il mit en marche le magnétophone et déclara calmement, avec le plus de conviction possible : « Ce que je vais faire, c'est organiser les deux prochaines années autour de la routine quotidienne. D'abord, il y a les repas. Je passerai autant de temps que possible à les prévoir, les préparer, à consommer et apprécier de délicieux festins. Je vais mettre à profit le temps que j'ai devant moi pour essayer toutes les combinaisons de victuailles possibles et imaginables. » Chancelant, il se leva et se dirigea vers l'imposante réserve de vivres.

Contemplant le placard plein à craquer... de boîtes identiques empilées les unes sur les autres, il se dit : *D'un autre côté, on ne peut pas faire grand-chose avec deux ans de réserve de pâtée pour chats. Question variété, je veux dire. Est-ce que les boîtes ont toutes la même saveur ?*

Les boîtes avaient toutes la même saveur.

## DU MÊME AUTEUR

*Aux Éditions Gallimard*

LA FILLE AUX CHEVEUX NOIRS (Folio Science-Fiction nº 87)

MINORITY REPORT (Folio Science-Fiction nº 109)

PAYCHECK (Folio Science-Fiction nº 167)

*Aux Éditions Denoël*

*Dans la collection* Lunes d'encre

NOUVELLES (1947-1953)

NOUVELLES (1953-1981)

LA TRILOGIE DIVINE

*Dans la collection* Présence du futur

SUBSTANCE MORT (Folio Science-Fiction nº 25)

DEUS IRAE (*en collaboration avec Roger Zelazny* - Folio Science-Fiction nº 39)

L'ŒIL DE LA SIBYLLE (Folio Science-Fiction nº 123)

SOUVENIR (Folio Science-Fiction nº 143)

LE VOYAGE GELÉ (Folio Science-Fiction nº 160)

AU SERVICE DU MAÎTRE

UN AUTEUR ÉMINENT

DERRIÈRE LA PORTE

LE GRAND O

LE CRÂNE

*Aux Éditions J'ai lu*

LE MAÎTRE DU HAUT CHÂTEAU

DR BLOODMONEY

MESSAGE DE FROLIX 8

BLADE RUNNER

LE DIEU VENU DU CENTAURE
LES CLANS DE LA LUNE ALPHANE
À REBROUSSE-TEMPS
LE TEMPS DÉSARTICULÉ
LOTERIE SOLAIRE

*En Omnibus*

LA PORTE OBSCURE
AURORE SUR UN JARDIN DE PALMES
DÉDALES SANS FIN
SUBSTANCE RÊVE

*Aux Éditions 10/18*

COULEZ MES LARMES, DIT LE POLICIER
AU BOUT DU LABYRINTHE
L'ŒIL DANS LE CIEL
LA VÉRITÉ AVANT-DERNIÈRE
MENSONGE ET CIE
UBIK
MON ROYAUME POUR UN MOUCHOIR
LA BULLE CASSÉE
DANS LE SECTEUR DE MILTON LUMKY
TOTAL RECALL
LE PÈRE TRUQUE
PORTRAIT DE L'ARTISTE EN JEUNE FOU

*Aux Éditions Joëlle Losfeld*

HUMPTY DUMPTY À OAKLAND
L'HOMME DONT TOUTES LES DENTS ÉTAIENT SEMBLABLES

*Composition CMB Graphic.*
*Impression Société Nouvelle Firmin-Didot*
*à Mesnil-sur-l'Estrée, le 2 décembre 2003.*
*Dépôt légal : décembre 2003.*
*Numéro d'imprimeur : 66283.*

ISBN 2-07-031303-4/Imprimé en France.